LETTRES D'AMOUR D'UN SOLDAT DE VINGT ANS

JACQUES HIGELIN

Lettres d'amour d'un soldat de vingt ans

BERNARD GRASSET

« *Un soir, vous êtes passé. On s'est assis l'un en face de l'autre... Vous étiez sombre. Vous disiez les choses sans les dire. J'essayais de comprendre vos demi-mots. Je vous écoutais, je souhaitais être la complice de vos tourments, celle à qui on dit tout, celle qu'on rencontre pour un instant, à qui on crache sa vie dans l'espoir qu'elle entendra.*

Peut-être n'étiez-vous pas venu pour parler, vous aviez seulement besoin d'aller mieux, d'être ailleurs. J'avais envie de vous voir sourire, de vous lire une histoire, une histoire vraie, écrite et racontée par vous, par nous, de vous laisser venir, de vous laisser entrer dans ce jardin secret où j'ai gardé vos lettres, là où le temps s'est arrêté »...

PIPOUCHE.

Qui je suis ? Où je vais ?

Les temps — à compter d'à présent — vont me l'apprendre.

Tout est prétexte à l'homme, parti à la recherche de lui-même, qui se mesure à la vérité des choses. Cette concentration de solitude est une puissante occasion.

Je ne suis rien — un matricule — je suis « 28.475 ». Mes cheveux coupés comme vous, ma jolie frimousse, une tête dépouillée, trop longue, en pain de sucre, de travers, oreilles décollées, sans aucun fard. Ma tête bien ridicule, bien humaine, bien à moi pour le déplaisir des yeux étrangers. Ni un enfant ni une grande personne. Dix jours ont fait de Jacques Higelin (acteur ? musicien ? charmant inconscient, faux séducteur et beaux sentiments !), dix jours en ont fait un « compromis », un être qui mange, dort, boit, rit, qui apprend l'immobilité, le sens du « point mort », la valeur de tout instant. Je ne peux ni jouer ni tricher. Tout est profond, important, tout porte à conséquence. Ma vie, la ville, la caserne, les êtres, les choses ont pris des dimensions qu'on ne peut plus méconnaître. Un monde où la lutte est incessante. La lutte pour se garder !

Je retournerai à ce que je fus de médiocre, ou

j'irai vers l'équilibre où il n'y aurait plus de raison d'utiliser ces paravents puérils, dont Vous. Quelques erreurs dans votre rapport : je ne fais et ne saurais faire l'amour pour l'acte seul, pour « la chose » (ainsi que vous dites). Je vous aime aussi avec mon cœur et mon esprit. Ne me blessez pas trop ou, avant de le faire, pensez-y plus profondément. Je n'étais pas qu'un animal ! Enfin, pas sans cesse.

Vous n'avez jamais été un objet, une « chose ». Mais cela, je suis seul à le savoir (et à pouvoir si mal l'exprimer).

« Comme mes amis me manquent ! J'en ai très peu, mais j'y tiens d'autant plus ; et si je ne reviens que dans longtemps, avec une barbe blanche, vous m'aurez tous bien oublié, et ça me dégoûte parce que je ne sais pas pour où je pars. Je suis à la fois triste et heureux, ça ne permet pas de s'exprimer clairement, avec logique. Vous êtes si étrangère ! Mon papier me renvoie mes phrases. Je ne puis plus imaginer le visage penché qui lit, être généreux de mon soleil et de mes rêves. J'écris une lettre doucement, pour réveiller sans trop y croire, je m'écris peut-être à moi-même ! »

Saint-Exupéry sert ma langue ou ma pensée avec une justesse littéraire trop grande pour que j'ose encore exprimer quelque pauvre idée.

À vous profondément.

de Jacques.

Brûlez mes lettres !... et puis venez ! venez ! venez !

COMME vous faites bien d'écrire lorsque l'envie vous en prend. Ce que vous me dites est si plein de tendresse, de douceur, d'amour calme, fort, sûr de lui.

L'instant du courrier est un bien curieux moment. On attend, sans attendre. On ne sait plus très bien si l'on espère ou non. Comme un court flottement, suivi d'un désarroi ou d'un mouvement de fébrilité joyeuse.

Je n'attendais ou — plutôt — n'osais pas attendre un message de vous. Comme je ne voyais pas votre lettre parmi celles du courrier, j'ai éprouvé l'émotion du désarroi, d'abord ; puis, d'autant plus forte, celle de la fébrilité joyeuse. Plutôt déchirée qu'ouverte, cette lettre. Et puis l'instant merveilleux de vous lire, comme une trêve, une parenthèse de liberté dans la pesanteur du temps.

La pluie n'est pas triste, amour, elle est un effet du soleil. Tous les lieux se valent ; les hommes y sont semblables puisque ce sont eux qui les créent. Je vous verrai là-bas comme je vous vois ici. La vérité est inconditionnelle, immobile. J'attends l'heure... un long et rare calme. J'ai toujours crainte à me séparer de vous : sortie du rêve alangui où vous a plongée l'amour, qu'allez-vous penser de moi ?...

Je vous quitte, vite, en couvrant de mille baisers vos lèvres, votre corps tout entier, vos yeux, vos larmes, vos cheveux, votre cou.

Mon bel amour chéri, je vous attendrai à la gare samedi, au train. Si vous n'y êtes avant moi.

Votre Frimousse.

Vous...

VOUS... sans cesse derrière, devant moi, à mes côtés, dans le corps, dans la tête. VOUS... émouvante figure de mes souvenirs présents, futurs.

VOUS... la meilleure partie de moi-même. Partout, sans cesse, dans mon sang, ma vie. J'étouffe, c'est intolérable. Je tourne en rond dans ma chambre. Vous êtes au-delà de la fenêtre. Enfin, votre sang bouge, votre visage s'y exprime. Alors, j'essaie de dormir — vous venez, toutes les fenêtres du monde n'y pourraient rien. Et je m'endors contre vous, en vous, profondément, votre âme au creux de la mienne, jusqu'au matin du jour où l'on meurt; et si l'on doit, ce ne serait qu'avec TOI.

Les coups de téléphone, les coups durs de téléphone, je m'en moque. Je suis égoïste — c'est vrai — mais pour deux !

Je deviens fou, parfois, mon être entier vous réclame.

R... semble me reprocher de ne pas penser aux actes, de vivre comme un bloc de pierre friable. Comme c'est me mépriser, me traiter d'inconscient.

C'est du désespoir ou de l'espoir pensé. Mes

13

agissements semblent en désaccord avec mes réels sentiments : ils n'en sont que les causes.

Je vous ai menti par désespoir. L'être de ma vengeance, le seul qui aurait pu s'en rendre compte, ne vit rien que de l'amour que je lui ai fait croire, par pudeur ou respect. J'ai mal agi !... mais cela m'a grandi ou lavé de cette sottise — mousse d'égocentrisme !

J'ai le sentiment du joueur d'échecs qui apprend ses erreurs en étant mat et fait ses armes au jeu. On perd sa reine et puis, un jour plus heureux, plus réfléchi, on apprend à la garder, à la préserver d'attaques, à la servir et l'aimer. J'apprends, je vous apprends. Pardonnez-moi de gâcher des Êtres, de vous gâcher. Mais c'est pour nous, pour vous, par amour je vous jure, je vous supplie de le croire, C'EST VRAI !

Je ne sais que vous dire, sinon tout et rien.

Venez ou je serai fou. Je vous couvre de baisers, de pensées d'amour et de tendresse, de ma vie et de ma mort, de mes espoirs et désespoirs, de tout ce qui fait que j'existe, de tous mes instants. Je suis en vous, à vous, je viens de vous pour jamais. De toute mon âme venez ! je n'attends que toi.

Ce que j'ai fait, en dehors de nous, c'est vous qui le provoquiez par méprise. Je m'exprimais assez mal car je n'avais encore le sens des instants : j'osais penser avenir !

Souvent je marche seul, dans les allées de la caserne, en pleurant doucement votre nom. Je vais jusqu'à la barrière de sortie et j'attends d'où je vous revois partir.

Venez, lundi ou plus tard, mais venez ! Je vous supplie de venir.

Ce que j'ai fait à d'autres, ce qu'ils me font, ne compte déjà plus.

Seul compte ce que je vous fais et ce que vous me faites.

Tu n'as pas compris tout... Que tu étais MA RAISON de tout.

Si l'on me demandait un certificat d'existence et que j'eusse à répondre l'exacte vérité, on serait bien surpris que ce fût pour et par l'amour d'une femme exclusivement.

J'ai reçu ton message. Dieu ou diable fasse que jamais d'autres personnes ne m'écrivent: vos lettres m'empêcheraient de les lire ou d'y répondre. J'ai presque tout oublié des autres. Je ne me recompose qu'à partir de votre amour, la seule vérité. Ce que je possède actuellement de vous — votre pensée, votre voix — c'est si doux, si vrai. Cette spontanéité, cette jeunesse, ce sang vermeil et chaud, c'est mon soleil rouge, mes couleurs, mon été.

Vous n'êtes qu'une fleur jeune et belle. Vous êtes la rose du Petit Prince et puis, aussi, son renard et ses mille quatre cent quarante couchers de soleil. Je marche avec vous dans les yeux. Il ne faut pas raisonner, il ne faut plus. Il faut penser par amour, penser juste. On ne raisonne que par la tête, mais on pense — aussi — avec son cœur. Je hais les raisonnements, surtout logiques.

Votre belle lettre ne raisonne pas. Elle me parle, elle chante, elle se révolte, elle crie !

Elle est pure votre lettre parce que vous êtes

pure. Vous ressemblez à une jeune fille, à ma jeune fille aux cheveux jaunes. Votre voix a changé, elle est émue, claire, elle se passionne, elle sait puis ne sait plus. Comme j'aime ce doute, cette hésitation, cette pudeur des êtres amoureux. Je suis sûr d'avoir pénétré au plus sensible, au plus pur de vous, à votre secret d'existence. Je suis au cœur de votre vie et c'est ce cœur qui me fait vivre. Prenez-en le plus grand soin; s'il meurt... il me tue!

Ah! parfois j'ai si mal de notre éloignement. Je vous voudrais devant moi, en moi — vous qui êtes ma chair! Alors je fais semblant de rire pour m'empêcher d'en pleurer. Un rire qui étouffe le chagrin. Je pense au rire de Crolla... relisez la lettre de Musset et pensez que je l'ai écrite. Pensez que vous avez la totalité de mon être et qu'il ne reste rien que ce qui vient de vous.

Je vous aime et vous couvre de baisers. Vous, ma Lumière, mon Chéri, mon Amour.

JE me suis réveillé d'un affreux rêve...

J'étais avec vous, dans un pays mi-pluie, mi-soleil. Nous étions heureux, libres. Et puis j'étais chez moi ou dans un endroit, seul, et je recevais de vous un télégramme, où vous m'interdisiez de vous revoir, où vous m'annonciez notre rupture et votre amour pour un autre homme.

J'ai été tellement impressionné que j'ai pensé vous écrire au lever pour vous supplier de n'en rien faire, de me rester, qu'il était impossible qu'une telle chose arrivât !

Les rêves sont monstrueux lorsqu'ils s'y mettent. On devrait en interdire certains ! Ils vous font penser et mal penser. J'imaginais même cet homme... beau, séduisant, charmant, plein d'esprit... Je criais votre nom, j'essayais en vain de vous retenir. Quelle atroce impression !...

Et si un jour cela devait être vrai — que vous m'oubliiez ! Jamais, je vous en supplie... jamais ! J'ai si peur de ne plus vous plaire avec ma tête nouvelle, mes gestes alourdis. De ne plus retenir votre attention ou vos pensées. L'éloignement donne parfois de si pénibles idées.

Hélas ! on ne peut décider des êtres qu'on aime ! Ils peuvent vous échapper, même involontairement. Je suis malheureux de cela aujourd'hui et par cause d'un vilain rêve! Excusez la faiblesse de cette pensée; elle m'a tant préoccupé tout ce matin. Pardon de vous la communiquer.

Je suis entièrement à toi. Je vous couvre de mille baisers.

J'aime tant votre voix! Merci d'être là lorsque j'appelle.

CE soir, sans vous...

Sans doute vous recevrez cette lettre avant l'autre, que j'ai écrite et postée à la caserne cet après-midi.

Je suis au grand café. J'ai essayé de vous joindre deux fois ce soir, au téléphone, mais vous étiez absente.

Vous m'avez fait passer une atroce soirée depuis cette lettre.

J'ai la fièvre, une lourde tristesse de tout cela. Et cet absurde téléphone qui me refuse votre voix ! Si vous saviez le bonheur de l'entendre, cette chère voix, votre chant, amour. Mais non ! vous vous obstinez à ne pas être avec moi ce soir.

Dans les rues, la neige s'est faite boue, mon cœur aussi. À quoi bon ! Fluidité des âmes — les mains vides, lourdes. Je ne peux aller nulle part sans vous. Alors je traîne, seul... Je pense à un petit chien gris dans les bras d'une jeune fille. Qu'est devenu, ce soir, le chien gris ? J'y pense peut-être à cause de Noël, des vitrines où aucun chien, même gris, ne lui ressemble. Il était unique, notre chien, avec sa chaude frimousse. Frimousse, frimousse... vous entendre me le dire !

Ah ! colère ! Colère contre la connerie, la vanité,

le jeu! Vous savez pourtant que je ne joue pas! Il y a des choses... vous ne les comprenez pas... plus! Je me demande parfois, ne seriez-vous pas une grande personne? Je vous tuerais plutôt!

Ah! assez! Je pense à vous avec amour et cela m'emporte. Pardon!

J'aimerais pourtant n'avoir à vous dire que des choses pures, des choses d'enfant, jolies, calmes...

Ce que vous m'avez envoyé, comme vous avez eu raison! Je me suis allongé cet après-midi avec votre livre. J'étais abattu et heureux de ces poésies. Il y avait si longtemps...

Je voudrais à la fois vous déchirer, vous faire mal et vous embrasser mille fois, à l'infini.

Je vous déteste pour votre dureté et vous aime pour votre pureté.

Je vous adore tant de ce caractère en diamant, sans tache, abrupt, âpre, et puis si doux, si délicat...

Si vous étiez assise devant moi, ce soir, je te prendrais les mains, les lèvres, et te boirais tout entière.

Il doit être onze heures. Je rêve, allongé sur le lit... Je rêve de chants d'oiseaux, de pluie tiède, de parfum — celui des fleurs — de rires d'été, de soleil...

— Ah! Ah! Ah! de soleil! Vous rêvez!

— Oui, je rêve... d'amour. N'en ai-je pas le droit?

— Pour pas bien longtemps! Vous verrez, Higelin, on vous dressera! On vous apprendra les rides qui barrent le front de quelques douloureux plis, les grimaces, les révoltes matées!

— ET LE CIEL OSE ÊTRE BLEU! ET LE SOLEIL BRILLER!

Je vous ai encore appelée, ce matin. Vous n'étiez toujours pas là. D'ailleurs où pourriez-vous bien être? Chez quelque ami ou amie... Avec moi, sans moi? Dites, à dix heures, où étiez-vous? Dans une rue... vous marchiez peut-être... avec des milliers d'images dans la tête qui se disputaient votre pensée. Dans la rue, des gens vous ont croisée, peut-être souri... Dans les rues ou les maisons, les immeubles tristes, les théâtres ou les bureaux, des êtres ont pu vous voir, vous toucher, vous entendre, sans que rien au monde les en empêche (sauf, peut-être, leurs oreilles, leurs doigts, leurs yeux). Moi, je ferme les miens, je n'écoute plus rien, je fourre mes poings dans mes poches et je vous vois, vous entends, vous touche : « On ne voit bien qu'avec le cœur, l'essentiel est invisible pour les yeux. »

La fièvre ne m'a toujours pas quitté. Elle s'insinue lentement, presque imperceptiblement. Curieux ! Je comptais tellement sur votre voix. Je vous imaginais seule. J'avais des milliers de choses à vous dire, à ne pas dire. Le désespoir rôde bizarrement depuis votre lettre... Tout est moite !... Une marche immobile, stagnante... Le mauvais rêve !

Tout me ramène à vous, mais il semble que vous ne soyez pas là.

J'erre dans les espaces du temps. Les mesures sont faussées — on pense « à quoi bon ? ». Ton silence m'étouffe. Amour, mon amour, ma Frimousse...

Où es-tu ?

J'ai vide dans le cœur et froid dans l'âme ! Tout ceci est triste ! Triste ! TRISTE !

Le ciel est une pâte molle, lourde et sombre.

Qui en empoignera un jour les coins et le jettera au loin, comme on ferait d'un matelas ?

Bien sûr vous me quitterez, soyez-en assurée. Je ne vous pèserai guère, moi et ma grossière platitude...! Ce mépris de votre lettre, cela m'a fait de la peine, mais quelle importance ?... Un soldat! Dans ma position, comment pouvez-vous demander sans cesse rapport de toutes mes attitudes sans en chercher d'abord la raison profonde ? Vous savez pourtant que vous êtes cette unique raison... Aussi, je ne vous téléphonerai et ne vous écrirai plus ! Êtes-vous satisfaite ? Vous souvenez-vous de ce jour à Saint-Nazaire, où F... m'ayant fait une remarque au cocktail, je lui avais écrit un mot porté par vous ? Vous souvenez-vous de l'état où j'étais ? Sachez qu'il est le même, et que j'essaie de réprimer un désespoir très grand de votre méchante lettre.

Qu'attendez-vous de moi ? Que je sois fou de chagrin! Que veulent dire les mots de cette lettre ? Comment vous convaincre lorsque j'affirme mon amour ? Ne ressentez-vous plus mes élans, mes pensées essentielles ? Vous êtes-vous détachée de moi ?

Si cela est, Amour, si cela était... tout deviendrait impossible, sauf mourir! Ne riez pas! Les mots font leur office et parlent de vérité. Ayez foi en mon amour, je vous en conjure, et cessez de le torturer inutilement.

Pardon de ce que j'ai dit au téléphone. Je n'en pouvais plus de ne pas vous entendre. C'est B... qui m'a dérouté. J'avais tellement honte, je me sentais trop responsable.

Ma Mie, j'ai mal de votre absence, j'ai mal de vos mots méchants. Si vous deviniez enfin l'amour qui me porte, si profondément étranger à tout ce qui est commun. Grâce à vous, je ne me sens plus comme «tous les hommes». Pourtant, j'ai si peur que vous méconnaissiez celui que vous m'avez fait devenir...

L'ÉTAT où me mettent vos lettres! Mais nous sommes tous deux des enfants trop emportés.

Je ne songe maintenant qu'à vous regarder vivre. Quel bonheur que vous existiez! Qu'on puisse contempler votre regard, animé d'une si belle âme... Que j'aime tout ce qui est vous! Comme cela me fait vivre heureux, émerveillé de cette existence!

Hier soir, je suis resté longtemps assis sur le bord de mon lit, sans bouger... J'ai pris nos photos et les ai vécues, une à une, longuement... Je vous ai sentie naître dans mon sang, dans toutes les fibres de mon corps et de mon esprit... Puis, je me suis allongé, comme lorsque j'étais à l'hôpital. Vous êtes restée, votre beau visage enfoui dans le creux de mon cou, respirant doucement, avec chaleur, avec tendresse et amour. Et... ce matin, votre lettre! Vous n'avez pas le droit d'écrire de telles choses! Vous entendez, Amour, aucun droit! Hormis celui de rester toujours en moi.

Mille baisers, mon chéri. Je viens le 28 ou 29 décembre.

Je suis fou d'attendre.

J'ai perdu toutes nos lettres, nos photos, dans le train. À Nancy. On ne les a pas retrouvées à Épinal. J'ai écrit à Strasbourg... Aucune réponse. Qui d'autre aurait pu fouiller ces lettres, votre visage?

Oh! chérie, je suis triste. Si vous saviez! Comment ai-je pu oublier cette enveloppe!!! J'ai mal de cela.

D'ailleurs, de quoi n'aurais-je pas mal? Tout est incertitude... cette agressivité du monde.

Et je suis là avec ce que je sais de la beauté, de la vérité qui se nomme AMOUR, amour que je nomme Pipouche.

MERDE ! plus on avance... Je faisais les trois cents pas du parcours de garde, ce soir. Y avait un hanneton en train de crever, sous la lampe des garages. Je suis resté deux heures avec lui, l'ai remis sur pattes. Il se gonfle, s'élève par cercles de plus en plus serrés qui le projettent à nouveau sur l'ampoule, recassage de gueule... remis sur pied, il repart et ça, durant toute ma garde. Je voulais qu'il comprenne. Il avait fini par me plaire ce hanneton ; con, buté, sans autre but que d'aller se casser la gueule sur une lumière. Maintenant il est mort. Un individu. Personne pour l'oublier, puisque inconnu.

J'ai pensé à des tas de trucs embêtants en l'observant crever. Évidemment l'optique n'est pas tout à fait la même, dépend du point de vue.

J'ai revu la Corse, la Provence (à cause des crapauds et des bêtes de nuit qui faisaient un bruit terrible) comme une grande noce troublée.

La nuit est en train de se tirer. À quoi pensent les gens dont la journée est un repaire de rendez-vous ? Quand ils vont ouvrir l'œil, tout ça va faire une salade terrible dans leur crâne et déjà les empêcher de vivre ; leur pauvre crâne habité d'idées préconçues. Celles qui tuent les autres. Des chambres étroites.

J'aurai peut-être du courrier de Pipouche ce matin. J'appréhende un peu. Beaucoup. Passionnément. À la folie.

Il fait jour   je vous aime

Allemagne, février-mars 1961.

PETITE Pipouche chérie

Vous êtes folle. C'est merveilleux, ce livre, plus beau qu'un conte. J'ose à peine l'ouvrir, le lire. On l'imagine tout plein de mystères, de jolies ou terribles choses cachées.

Cette surprise extraordinaire, c'est troublant. Je suis maladroit de bonheur. Vous parlez à ce qui reste de meilleur en moi : l'enthousiasme, l'enfance, la délicatesse. Ces illustrations si fines, si délicates, si belles ! Et ces contes, leur humour, leur légère profondeur.

Comme vous me sentez, me respectez, me sauvez. Vous me remettez à ma place avec tant de lucidité, cela me protège, m'encourage. Vous n'avez su que m'entourer de choses rares, uniques. Tu es la seule à savoir de quoi je suis fait, tout au fond, là où je n'ai jamais laissé pénétrer quiconque, hormis VOUS. Justement parce que ce grand fond c'est VOUS et que vous en êtes l'unique maîtresse.

J'ai reçu ton message d'aujourd'hui.

JE VOUS INTERDIS VOTRE TRISTESSE.

Vous devriez tomber *très* malade de honte.

Vous en trouverez des « bidasses » comme moi,

tiens, qui essayent vainement de vous faire sourire.

Je vous EXCOMMUNIE. Mais toutefois, mon amour, si vous continuez vos larmes, je les boirai une à une sur vos yeux jusqu'à la dernière et après votre cœur sera tout sec. Il ne pourra plus jamais aimer personne et vous resterez ce que vous allez devenir : une vieille femme aux cheveux jaunes. Éternellement (vous ai-je assez fait peur ?).

Aujourd'hui, il a fait soleil, la teinte du ciel est si douce. Ce soir c'était rouge, plein de sang et de fins nuages avec de gros sapins en confiance. L'air recommence à chanter, moi aussi, et à rire, très doucement, comme rythmé par les grands pins. La terre déchirée de l'hiver respire de toutes les craquelures de sa carcasse gercée. Elle est douce et bonne, confiante, rassurante comme une grosse pierre nue.

Et je vous aime par-dessus tout ça, par-dessous, du plus loin, du plus près, mon adorable Pipouche triste. Aujourd'hui, il y avait du soleil et c'est pour cela que je ris quand je pense à toi et que, parfois, ça me fait aussi pleurer.

MA vie

J'ai froid par tout le corps. Il me faudrait vos lèvres pour me réchauffer. Les jours sont si longs, les heures se traînent et puis toutes ces fausses nouvelles qui traversent le camp! J'ai trop hâte de vos yeux, de vous voir, vous entendre.

Aujourd'hui, lorsque vous m'avez appelé, j'étais triste de votre absence, mais votre voix si douce, et tout ce que vous disiez, résonnait dans mon cœur comme un rayon de soleil. Je vous ai quittée, un peu ivre, très troublé, comme chaque fois que vous me parlez.

Mon âme chérie, mon frère d'amour, je pense à vos larmes, à notre rire, je pense au printemps que nous allons connaître ensemble pour la première fois. Je regarde le ciel, la terre, les arbres, l'herbe pour la première fois. Ils se sont préparés tout l'hiver à renaître. Nous aussi on va renaître l'un pour l'autre. Jusqu'ici, nous nous sommes préparés pour notre premier rendez-vous.

J'efface le passé et je vous regarde pour la première fois. Je vous ai retrouvée, plus belle, plus grave, et dans vos yeux brillants, un beau rire tout neuf, ma jeune fille, que j'attendais de ton cœur comme un signe d'espoir.

J'ai emporté la lumière de votre regard, la musique des mots que vous m'avez dits, dimanche soir, à ma dernière permission et qui sont en train de mûrir au soleil. La vie est chaude, belle et pure parce que je t'aime.

Oh! Minou, j'embrasse votre voix, vos gestes, vos petites mains. J'ai envie de poser mes mains sur vos hanches et que mes lèvres soient une caresse sur l'ombre douce et chaude de ton ventre, qu'elles effleurent le bout de vos seins et s'envolent pour venir se poser sur votre bouche de chat gourmand. Je pense, ce soir, à toutes nos nuits d'amour. Je me sens nu devant toi, en toi, fier de la jeunesse de nos âmes et de nos corps, parce que notre amour regarde haut et droit devant lui, les yeux et le cœur à vif.

Comme la première fois, je t'aime.

ÉTAT curieux. Tout ce qui porte un grade, même le plus infime galon, hurle des ordres, des insultes, des grossièretés. « Les marines », un petit enfer. Je suis une caméra. Le temps de rien, d'observer quand même, c'est tout.

Quel charmant concert ! J'admire béatement cette « merde glorieuse ».

Quelle importance. Cela ne m'appartient plus.

Je suis parfaitement lisse. Ces choses qui bouchent l'horizon me glissent dessus. On m'aboie ! à tout de suite, à vous pour tous mes instants. Je n'oublierai jamais ces six jours.

Je n'aime que toi au monde.

PARDON de n'être pas là.

Je vous aime, méchante Pipouche qui ne me dit plus jamais rien.

Une longue semaine sans un mot... Qu'est-ce que j'ai bien pu faire pour mériter ce déprimant silence ? Peut-être que vous n'avez rien à me dire. Serait-ce le début d'une indifférence, d'un détachement ?...

J'ai peur de vous, de ce Paris affreux qui vous retient prisonnière, otage de toutes ses tentations faciles.

Peut-être vous oubliez votre amant, par habitude de l'absence ! Ah ! l'habitude ! les occupations dont je suis exclu.

Chérie, est-ce que cela vous est égal de me faire du mal, n'avez-vous même plus le désir de me parler ? Vous ne pensez donc plus à nous ?

« J'ai une fleur, elle est unique au monde. »

Je ne vous suis pas unique. Avec combien d'êtres me partagez-vous, combien de pensées ?

Paris est plein d'amants.

Depuis que tu m'as donné l'amour, je suis jaloux du monde entier.

Et si tu allais me retirer cet amour !

J'ai peur... mal...

Pourquoi ne ressentez-vous pas ce mal que vous me faites? Pourquoi ne rien faire pour l'apaiser?

Tu es la tendresse, la jeunesse de l'amour, ce qui réchauffe et illumine mon âme.

Cette lettre me fait honte. Je ne sais plus m'expliquer...

Oh! vous voir, vous parler, vous serrer très fort contre moi et n'avoir plus besoin de rien dire que des choses heureuses, sans importance que pour nous deux.

Tout le bonheur que vous m'avez offert me rattache entièrement à votre vie.

Oh! Pipouche chérie, je souffre de votre absence. Je voudrais tant vous donner chaque instant de ma jeunesse. Je me sens si inutile à tout ce qui vous touche!

Cette caserne, c'est comme un hôpital rempli de malades en bonne santé, une prison pleine de faux condamnés. Les seuls amis que je m'y suis fait sont en tôle en ce moment. Quel bordel! Je deviens fou de tant d'absurdité, de laideur. Une seule chose m'empêche de sombrer: ils ne pourront jamais m'enlever mon soleil, notre amour est intouchable.

Te voir, vite, que l'on s'aime!
Merci d'être là, dans moi.

Votre Frimousse.

Rastatt, le 10 mai 1961.

DEUX semaines ! Rien... Rien jamais ! À quoi bon attendre, à quoi bon s'inquiéter, il n'y aura peut-être plus jamais rien...

Pipouche reste silencieuse... Pour quelles raisons ? Exister devient pénible !

Vous nous oubliez ? Déjà ? C'est moche... Le sentiment que rien ne pourrait vous décider à me parler, m'écrire.

Je suis absent, alors je ne peux pas vous servir à grand-chose, n'est-ce pas, Pipouche ?

Vous me laissez seul, face à la médiocrité honteuse de ma situation actuelle, en oubliant que je la supporte uniquement à cause de vous, parce que je vous attends toutes les nuits et les jours...

Mais ça vous est égal ! Il y a ce dont vous avez besoin, ce qui vous est indispensable, et le reste, le superflu.

Ne serais-je pas le superflu, Pipouche ?

Vous m'apprenez à donner l'amour, à aimer... Et maintenant : ne seriez-vous pas en train de me laisser avec cet amour sur le cœur, comme une chose délaissée ?

J'aimerais vous envoyer de vos lettres afin de vous rappeler les choses si tendres, si belles, si amoureuses que vous m'avez dites.

37

Chérie, c'est terrible sans vous, est-ce que vous comprenez! Je vous en veux de vous conduire comme ça. Je refuse de penser à une indifférence de votre part et j'en suis mille fois plus inquiet... La crainte qu'il vous soit arrivé quelque chose de grave... Ou que vous vous sentiez triste, seule, abandonnée...

J'ai honte de ce que j'ose vous dire. Pardonne-moi, Pipouche chérie, je suis dans un sale état.

Si vous avez un autre amant, si vous me refusez, parlez-moi quand même, je vous en supplie, comme à ton ami...

Écrivez, s'il vous plaît, écrivez même une lettre méchante, mais ne me laissez pas si seul, vide de vous, dans ce doute affreux.

Pipouche, mon amour, je vous le demande,
je t'AIME

« Je cherche fortune à Montmartre le soir », ces voix d'hommes, fortes et vulgaires, ils partent en Algérie. Je suis assis au foyer, j'écoute, je regarde. Aujourd'hui, on m'a fait creuser des trous dans un mur, des trous carrés de 15 cm. J'étais bien avec le mur, assis devant mes trous, seul avec cette cave douce et fraîche et dans la tête l'idée de ta mort, l'idée que tu étais peut-être en train de mourir. Je ne sais pas pourquoi. Ça m'est venu tout à coup. Alors j'ai foutu des grands coups de burin dans mes trous, j'ai jeté mes outils contre le mur et je suis allé me coucher sur l'herbe. Il y avait un grand oiseau qui ressemblait à un avion, c'était peut-être un avion, le soleil était dur, exaspérant. Bruyant soleil. Un ami est venu, il s'est couché à quelques pas, sans un mot. Quand nous nous sommes levés, nous pensions la même chose. En sentant la brûlure du soleil, en regardant le beau vert, en respirant, j'ai pensé que tu ne mourrais jamais.

J'aime l'amour et tu es faite pour l'amour, quelle chance. C'est bien de vivre avec l'amour, d'ailleurs tout est bien, il suffit de recevoir et de donner tout.

J'ai mal parce que vous êtes dans une fourmilière pourrie, parce que je voudrais te donner, apprendre à te donner et puis t'emmener dans le soleil, dans l'eau, dans le sable, dans la nuit de l'été et te donner de l'amour et du rire.

Je ne vois vraiment que lorsque j'imagine ton regard.

Aimer c'est vouloir être ce qu'on aime.

Ma Pipouche,

Mon très tendre et très fort amour, il va falloir me pardonner de t'écrire. Comprends, cela fait une année que je vis de cet amour !

Je déborde de Vous ; je ne peux plus ne pas vous parler, ne pas vous voir ! Tous ces derniers jours, j'ai relu vos lettres, j'étais désespéré. Il faut me pardonner de vous écrire, tu es trop en moi, tu es ma vie !

Je ne peux faire semblant de vous oublier ; et si je n'oublie pas, je suis trop malheureux ! Ma Pipouche, je vous jure, j'ai essayé de ne pas gamberger. Tout me ramène à toi !

Si je n'avais pas été prisonnier de mon service, à ce moment de solitude où je ne vous ai pas suffi pour que vous restiez vivre avec moi, j'aurais tout fait pour vous devenir indispensable — et j'aurais réussi. J'aurais tout effacé pour que vous soyez heureuse, pour vous faire exister, nuit et jour, de l'air de cet amour.

Je ne veux pas que vous riiez de ce que je te dis. J'ai tellement honte d'avoir échoué à ce moment. Tant d'amour à vous donner qui reste stérile, inutile, qui me revient comme une chose morte.

Ça n'est pas possible de vous tuer! Il faut le comprendre, mon amour. Je ne veux pas que vous me croyiez faible. JE NE PEUX PAS VIVRE PRIVÉ DE VOUS, ce serait inhumain! Vous m'avez donné du bonheur au-delà de ce qu'on peut imaginer. AVOIR TANT REÇU DE VOUS! À vingt ans! C'est le plus grand don de la vie, tout ce que je pouvais souhaiter de plus pur à ma jeunesse et à mon désir d'aimer. Tu ne peux imaginer ma gratitude envers toi. Chérie, s'il te plaît, je viens peut-être samedi. Permets-moi de te voir. Permets-moi *seulement* de te voir, de te parler. Il y a un soleil terrible!... J'ai très mal de ton absence!

Laissez-moi vous revoir.

Je te couvre de baisers.

JE T'AIME

Votre Frimousse.

PIPOUCHE à moi,

Il fait lourd. Je me sens très calme. Je regarde la bague et je pense à l'amour. Car tu es l'amour.

Alors, j'ai envie de jouer. Quand on joue, on est très loin avec ce que l'on aime, sans désirs ni regrets, puisque la musique comprend tout, résout tout.

C'est un secret entre toi et elle qu'elle ne divulguera jamais.

C'est formidable, le monde qu'un individu peut transporter dans lui! Il peut être à lui tout seul comme une grande foule en marche. G... est comme ça : il a l'air d'un peuple!

Dimanche a été un grand jour plein, un jour heureux. À la gare, j'étais sans regrets; puisqu'un jour pareil existait, je pouvais me permettre de sourire et de penser qu'il y en aurait d'autres, aussi libres, aussi vibrants d'amour.

Tout ce qui est vivant est tellement simple. On ne peut être heureux sans équilibre.

J'ai envie de jouer parce que j'étais bien avec toi, dimanche, parce que tu es jeune, amoureuse, passionnément sereine.

Il faudrait que cela soit de même à chaque fois. Je voudrais tout faire pour que tu sois bien, que rien ne t'empêche de t'abandonner à cet amour.

Maintenant, je me rends compte que c'est très important le sourire de l'être qu'on aime, de le sentir détendu, de le sentir heureux et calme, léger et pur comme la lumière d'un matin de printemps, comme de l'eau claire...

Je viendrai le 22. Ma permission est acceptée (sauf impondérable : défilé ou punition quelconque).

Je ferai tout pour te voir.

Votre Jacques.

POSTE de garde... Il fait nuit maintenant.

C'était une longue ville. Au terme d'un boule-vard rectiligne et froid. En remontant vers le port, sur la droite, une boîte — provinciale et confortable. Le bar, les disques, derniers produits de musique sud-américaine, deux filles, nièces « officieuses » d'une respectable patronne, les sol-dats sans uniforme, tout y est, le jeune oisif, venu là vérifier l'écoulement trop lent des heures, et puis nous, assis, apparemment impassibles, mais, en dedans, troublés.

Au fond, que s'était-il passé ?

Je descends d'un train. Des inconnus m'abor-dent, m'accueillent avec chaleur, sentiment qui ordonne une confiance réciproque, aussi bien qu'immédiate. Je passe. Je vous cherche. Je suis sûr de vous avoir cherchée à cet instant.

Vous êtes là, cachée. Nous nous attendions. Ce rendez-vous d'amour déjà contraint, dans une ville morte. Et puis cet élan merveilleux qui vous projette vers un « nous » précoce, fragile, un « nous » de printemps.

Dans la voiture où tu m'entraînes, je vous embrasse longuement les mains, au creux des paumes. Vous glissez d'un geste lourd, sensuel, mêlé de pudeur, vos doigts le long de mes cheveux... Imperceptiblement, la nuit s'avance et nous surprend dans ce bar, désemparés, le cœur à nu devant les gestes prêts à s'accomplir. Alors... danser, saisir vos mains qui s'abandonnent. Il n'est plus trop tôt ni trop tard. Le temps s'est arrêté depuis si longtemps, depuis la gare, depuis une éternité de secondes.

Oh! Quand j'ouvre l'âme sur ce visage, le visage de cette première nuit, cette nuit d'été complice qui nous attend dehors, dans le décor sans âme de ce boulevard désert. Les hommes, épuisés, dorment depuis longtemps, pas nous. L'amour attend l'aube, énigmatique, imprévisible. Vous vous éloignez. Je vous suis à distance, le cœur battant, l'esprit chaviré.

Vous remontez, façade après façade, d'une égale démarche... je vais vous rejoindre, courez! Partez vite! Il faut vous presser, je vais vous rejoindre! D'une égale démarche, vous allez de cette allure si lente. Après...

Ça fait des siècles que vous m'attendez et nous sommes toujours dans cette rue, immobiles... Nous sommes toujours dans cette chambre, à l'aube, après l'amour de toute une nuit. Je suis toujours assis au bord de cette fenêtre, à contempler votre visage, vos yeux flamboyants, ce corps brûlant, tendu de désirs sans fin, sans lieux, prêt à donner tout de vous-même, en accord infini avec ce souffle frais de l'aurore, avivant nos deux jeunesses immobiles dans l'acte d'amour...

AVANT-HIER c'était l'anniversaire de notre amour!
Je ne me souviens plus de cette première nuit.

Je me souviens du bar, du boulevard, du baiser. Après nous avons marché. Je me souviens que je ne t'ai pas aimée, durant notre nuit. J'ai commencé à t'aimer lorsqu'au matin je t'ai vue partir. Là, je me rappelle notre gêne.

Je crois que mon premier sentiment était de vous avoir blessée. Et le respect qui m'est venu pour vous, c'était le commencement de l'amour.

Vous vous êtes offerte à l'Higelin de Saint-Tropez, cette nuit-là, comme on s'offre au désir de créer, au désir de voir quelque chose se réaliser.

Car j'imagine, telle que je vous vois aujourd'hui, tout ce qu'il vous a fallu renier en un jour; comme on abandonne tout pour un seul espoir, un espoir sans raison! Car il n'y avait aucune raison, aucune certitude qui eût pu vous donner cet espoir. D'ailleurs, votre doute affreux, le lendemain... ce sentiment que peut-être, que certainement, tout avait été inutile, que je ne me rendais pas compte.

Et, aussi, sans doute, la honte de cette nuit, de

l'idée facile que je m'étais peut-être faite de vous... eh bien moi aussi, j'ai eu honte, peur de toi. J'ai eu besoin que tu m'aimes pour deux, que tu m'attendes.

Et contre tout, tu m'as attendu. Tu as pris ce qu'il y avait de l'Higelin, le vrai et le faux. Tu as changé le faux en vrai. Ceci pendant un an. Tu m'as recréé entièrement, par amour, et pour l'amour. Et nous n'en sommes qu'au début. Le plus grand artiste est celui qui recrée la vie, qui fait à nouveau couler le sang et le soleil par son corps et son cœur.

Toi, tu es une grande artiste. Tu renies la convention. Tu renies les chemins tracés. Tu construis un homme avec du doute, de l'espoir, mais par-dessus tout de l'amour. Un amour libre, vivant, joyeux, un amour qui enfante la vie. C'est comme si tu m'avais porté un an dans ton ventre ; et maintenant à bout de bras ! Je crois qu'on peut être fière dans ce cas.

Je comprends ton désespoir quand tu me voyais mou, incertain, négatif. C'est comme si tout risquait la ruine. Pareil au sculpteur qui voit son marbre chanceler sur le socle, alors qu'il en attaque l'ébauche. Tu m'as écrit que je t'avais aussi recréée. Si cela est, comme je suis heureux de pouvoir apporter ma contribution à l'amour, d'être aussi un peu ton artiste, de t'aimer assez profondément pour que cet amour te touche et te révèle.

Il ne faut pas m'en vouloir du peu de lettres. Je voudrais que celle-ci te fasse oublier les autres, que je ne t'ai pas écrites.

Ma Pipouche, Ma flamme, je vis constamment avec «vous en moi». Il y a des jours où je vous parle trop pour vous écrire. Alors ces jours-là, aussi loin que vous soyez, écoutez-moi. Ce sont des jours où il y a un soleil terrible, et aussi, des jours de pluie, frais et blancs.

JE T'AIME PROFONDÉMENT

Votre Frimousse
Higelin.

Ma vie,

Jamais je n'ai senti comme maintenant cette rage de vivre avec tout mon cœur et mon corps dans cet amour. Je suis tellement plein de toi que cela me rend amoureux fou de tout ce qui est l'amour.

Ma guitare me rentre par les doigts dans tout le corps, je commence à pénétrer dans le mouvement naturel.

Je me sens lourd de tout le poids de votre amour. Il faudrait que tu sois tout le temps là à présent. J'ai commencé le portrait de toi, mais je ne peux pas, je vous sens trop. Le désir ne suffit pas ; il faut la peinture, les couleurs, la chair.

Le noir et blanc, ça n'est qu'une surface de traits. Il faudrait sculpter et peindre à la fois, il faut beaucoup de lumière sur toutes les choses. J'ai essayé d'après une photo, mais la photo ce n'est rien. C'est en moi que je vous trouve le mieux. Je vous ferai d'après moi.

JE T'AIME TROP

Ta Frimousse.

14 octobre 1961.

CET amour qu'on porte partout en soi, une phrase de toi m'y fait penser : « Encore un lieu nouveau. » C'était comme si on étrennait Paris.

À notre dernière permission, j'ai ressenti une joie très pleine de toi. Ton amour avait mûri, comme un fruit merveilleux, de saveur toute nouvelle. Ton amour était lourd et chaud. Je le sentais peser contre moi de toute sa tendresse, de tout le poids de sa confiance. Peut-être, c'était l'enfant de nous !

Je n'ai jamais éprouvé cet accomplissement physique et moral avec une femme autre que toi. Maintenant, je sais que tu es la vie, la plénitude de la vie. Ce qui est beau, c'est d'être naturel.

QUE penser?... Toutes vos lettres me bouleversent. Je sens dans chacune une révélation sur l'«Art d'Aimer» et puis, cette carte postale: «Je déambule dans un coin de la ville, les autres ailleurs!»

Déambuler, ça me fait penser aux «bidasses». Eux aussi, ils se traînent dans les villes, dans les couloirs des casernes... Ils y sont parce qu'on leur a dit d'y être.

C'est con les villes qu'on traverse et dans lesquelles on ne peut rester plus d'un jour: on n'a pas le temps de comprendre. J'aime bien avoir le temps. Quand on est tributaire du temps des «autres» on est dépossédé de «son temps». Ce qu'il faut gagner à tout prix, avant de créer, c'est la liberté du rythme de vie dont notre personnalité, notre caractère ont besoin pour penser et agir.

Si les astres se confondaient, se heurtaient, ce serait le chaos dans l'univers, le déséquilibre. Chaque être humain est comme une planète, il exerce à la fois une attraction et une répulsion.

Notre amour, c'est le rapport de ces astres: nous nous attirons et nous nous repoussons continuellement sans cesser d'être l'un contre l'autre, liés par cette lutte; si elle cesse, par abandon de l'un, c'est la fin de l'amour, sa déchéance. Nous sommes en vérité deux adversaires, deux amants irréductibles qui, ensemble ou chacun leur tour, s'aiment et se haïssent passionnément.

Je joue Octave dans *Les Fourberies de Scapin*, à Baden. La troupe est composée de «bidasses-comédiens» et de quelques fils et filles de militaires. Dans l'esprit, c'est presque la même chose que le C.D.O.[1] Mais plus marrant, parce que plus amateur (amateur, dans le sens ludique du mot). Cela me permet de quitter la caserne à dix-huit heures et de passer mes soirées avec des «mordus» de quelque chose.

J'attends de voir, ça peut devenir chouette.

Nous aussi, on va partir en tournée (fin décembre) à travers l'Allemagne. C'est bon! Ce qui n'est pas bon, c'est ton absence. Toujours! Encore un an et demi... Tant qu'on n'est pas ensemble, on traîne, on «déambule», on fait semblant d'agir, mais le cœur n'y est pas.

Les vraies solitudes — celles dont on est conscient — ça force à n'avoir besoin de personne. Et pourtant qu'est-ce qui arriverait si demain on séparait le soleil de la terre?...

Jacques à vous.

---

1. Centre dramatique de l'Ouest.

MON amour

Il y aura une source de soleil, ruisselante, qui éclaboussera votre corps de lumière.
L'étoffe lourde et soyeuse de ses rayons ardents qui enrobera votre éblouissante nudité.
Il y aura vos regards humides, troubles comme l'étang, étincelants de clarté noire
votre chevelure affolée de lueurs, votre chevelure comme l'olivier en flammes
votre bouche écarlate, affamée, entrouverte sur la morsure à fleur de dents
et ce sourire obsédant d'enfant tourmenté
cette brûlure fulgurante du plaisir, qui vous déchire la peau et vous dévore les membres...

Je serai là
vous irez vers moi avec votre mal d'infini, votre soif inaltérable
vous viendrez à moi, immobile, le corps vigoureux soclé à la terre
plante vorace, sauvage, avec cette plaie vivante entre les cuisses, à feu et à sang d'amour
Il faut que je sois calme, que je sois un courant

d'eaux profondes, que je sois l'océan quand il retient ses vagues...

Alors, seulement, je saurai vous aimer

Il y aura une pluie de larges gouttes attiédies qui enlacera votre corps en feu, vous écarterez les membres pour vous offrir tout entière à la jouissance de son tendre ruissellement

Au contact de votre peau, cette pluie s'échauffe, se fait brûlante, alors

je serai un aigle foudroyé par l'orage

je tombe à vos genoux

les ailes de mes mains encerclent vos hanches

mes lèvres effleurent vos pieds nus adorables, tissent un voile de frissons tout au long de vos jambes, puis asséchées de désir, se précipitent avec volupté sur le divin calice que votre féminité leur tend

Je sens ton corps s'anéantir sous la caresse trop aiguë de ma langue

mes paumes recréent la coupole de ton ventre offert, s'élèvent avec une lenteur infinie vers celles de tes seins

qu'elles façonnent longuement, amoureusement

jusqu'à les rendre à ma bouche aussi durs et fragiles que des éclats de verre

Tu frissonnes

mes doigts s'enfoncent dans la chair douce de tes épaules et font jaillir le sang du grain de ta peau

dans un élan de tout l'être

mon corps se dresse contre le tien

mes lèvres, de leurs baisers, capturent vos

lèvres, vos yeux, votre museau, vos oreilles délicates

Le désir vous enflamme les joues

tu renverses la tête et offres, à mes sauvages morsures, la naissance de ton cou

Je vous sens défaillir, mes dents déchirent votre nuque

la chaleur soyeuse de votre chair me pénètre

Oh! ma fièvre amoureuse

mon bel amour fou

la violence de notre passion nous entraîne, nous attire vers un néant infernal et radieux

Tu te laisses glisser contre moi et vos lèvres chaudes me découvrent, me transportent au-delà de toute conscience

comme tu m'aimes!

Notre chute s'accélère, nos corps se confondent

je possède tout ce que vous possédez de moi

Nous plongeons dans le vide, toujours, de plus en plus vite.

Mes mains s'arrachent à vos épaules, glissent avec force jusqu'à vos reins et

dans un mouvement de houle puissant, brutal

enserrent votre taille

Votre corps entier se raidit, prêt à se déchirer, puis s'ouvre, s'abandonne aux vagues déferlantes du plaisir

Le temps s'arrête

Le soleil fou, irradiant de l'Amour, nous précipite à une vitesse vertigineuse dans la spirale éblouissante de la jouissance

Puis
un silence énorme.

Par la voie de nos regards, nos âmes se recon-
naissent
s'ouvrent totalement, sans conditions
l'une à l'autre
Alors
le visage éclairé d'un sourire inhumain de bonheur
lentement
aussi lentement qu'une marée
nos deux êtres se fondent en un seul
et s'offrent l'instant parfait
unique
absolu de l'AMOUR

Je t'AIME

AMOUR... Amour... Amour,

Il y a des jours où on deviendrait fou! Je souffre chaque fois plus.

Si je te revois, je déserte... Je m'en fous, du reste. Il y a toi, toujours toi, tout est pâle à côté, tout me ramène à toi!

J'aurais dû te quitter quand il en était encore temps. Quand on vous retire à moi, on me prend la vie.

Je n'ose pas regarder vos photos. Je n'ose plus penser à vous. Pardonne-moi, aujourd'hui, d'être faible. Oui, je peux vivre seul... Mais est-ce qu'on pourrait appeler cela vivre?... Dans cette chambre, lorsque vous êtes venue, lorsque je vous caressais — immobile — une émotion m'est venue qui ne m'a plus quitté depuis, qui m'a bouleversé, m'a rempli de vous comme si vous vous étiez donnée de toutes les fibres de votre être.

Vous ne pouvez savoir l'amour, ce soleil, que vous m'avez offert. Ça dépasse tellement tout ce que j'imaginais demander à la vie. Je me sens lié à vous par une passion qui me déborde. Je n'arrive plus à me faire une idée de cet amour. Je me sens noyé dans lui.

Quand je vous ai quittée, ce n'était pas le froid qui me faisait trembler : je me suis soudain senti privé de vous, arraché à cette chaleur trop intense. J'ai claqué des dents toute la nuit. J'étais glacé de l'intérieur. Jamais je n'ai éprouvé tant de désarroi de votre départ.

Je sais que votre corps est à moi comme le mien est à vous, que vous existez par moi comme j'existe par vous, et que cet amour est aussi fort que vrai.

Votre Frimousse.

AUJOURD'HUI, fourbu, crevé! Marre! Marre! MARRE! pourriture énorme de la société. Pas dormi de la nuit. Je te voyais avec un autre. Impression intolérable. Ne supporte plus personne. Plus envie de rire! Farce grotesque de la vie! Vraiment pas envie d'en rire.

Merde quoi! J'ai vingt ans! Et avec moi des milliers d'autres. Et pas de grève? Pas de révolte collective? Un écrasement total. Infect!

Je te jure, j'ai mal comme jamais j'ai eu mal. Je ne peux rire qu'avec toi, Goupil ou Pico. Merde! c'est trop con! Il faut se calmer, passer au-dessus, oublier!

Mais quand je pense à toi, je ne peux pas oublier. Le mal, c'est que je gamberge de plus en plus...

Tu es toujours là — tu prends tellement de place. J'en arrive à avoir besoin de ton souffle, de ton odeur, à en étouffer...!

JE T'AIME

P.-S. Pardonne cette lettre. Je sais que tu éprouves cela. Il faut penser à moi très fort aux moments où je vous appelle.

Hier soir, vous étiez tout contre moi et vous me parliez...

Allemagne, lundi 13 novembre 1961.

PASSÉ la petite crise de la semaine dernière, avec le calme, les idées reviennent. On ne peut rien construire dans le déséquilibre moral.

Je vous remercie de votre lettre. Vous écrivez toujours au moment qu'il faut, ce qu'il faut.

Avant-hier, il s'est passé une chose qui peut être très importante pour mon orientation. Nous étions, J.-L. et moi, à travailler sur l'éclairage et les décors, quand il me vient l'envie de chanter et jouer de la guitare.

J'attaque un blues. Dans la grande salle où nous étions, il y avait un magnétophone. D... branche le magnéto, on s'amuse un peu... Plus tard, j'attaque à nouveau le blues, et je me laisse aller à chanter comme j'en avais envie, à pleine voix, sans penser à rien. Il y avait un projecteur qui m'isolait et tout le reste était noir. Il était trois heures du matin. Je me sentais libre et vivant.

Il faut à tout prix que je fasse graver cette bande sur disque souple, et que je vous l'envoie. Le matin, j'ai écouté... et me suis vu découvrir quelqu'un qui s'appelait Higelin, dont j'écoutais, pour la première fois, les possibilités vocales et instrumentales.

Un jour, j'écrirai une Musique et des mots à

moi, et je les chanterai avec ma vraie voix, avec mes intonations propres.

La découverte de ce dont je doutais toujours me donne une force, un besoin de réalisation, qui me porte au-delà de moi-même. Plus j'avance et plus ma certitude grandit. La Musique m'a toujours apporté cet équilibre, cette joie dans l'accomplissement qu'aucun autre art n'a su me communiquer.

Ce matin, je pars en tournée pour cinq jours.

Nous allons essayer, avec J.-L., de réaliser un concert de jazz. Plusieurs formations allemandes nous ont donné leur accord.

On est entrés en relations avec le directeur de l'émission «Jazz» de Baden, qui nous donnera toutes facilités.

Chérie Pipouche, Amour, j'ai l'air de vous oublier dans tout ça. *Si vous saviez comme je suis proche de vous quand je construis*. Comme votre amour m'apporte la joie, l'équilibre et l'enthousiasme dont j'ai besoin pour vivre. Vous avez cru en la possibilité de pouvoir un jour «me réaliser». Je voudrais, de tout mon cœur, justifier cette confiance, comme je voudrais pouvoir la justifier à «Henrico». J'ai envie terriblement de vous voir.

Vous êtes vraiment l'être au monde que je souhaite rendre heureux, profondément heureux. Le bonheur vous va si naturellement.

JE T'AIME

Je voudrais bien inventer des mots pour vous dire ce qui me dépasse, ce qui me trouble, pour vous dire cet amour. Jusqu'ici, je n'en ai trouvé qu'un seul: PIPOUCHE. Les autres, je vous les dirai quand j'aurai appris à jouer de ma guitare. J'inventerai une musique pour vous, uniquement : ce sera *notre* musique Pipouche-Higelin.

Je vous ferai l'amour, je vous jouerai ma musique, et je n'aurai plus besoin de parler.

J'AIME VOUS LIRE

Je vous offre des baisers, plein partout sur votre frimousse adorable.

21 novembre 1961.

Mon âme chérie
Mon âme belle et pure
LA VIE EST AMOUR
Ce soir je suis ivre!

Pico est tendresse. Nous avons ri! Rire c'est merveilleux. J'avais oublié. Ah! rire...! Amour, la vie vaut la peine d'en rire... Un jour — je remercie le Ciel — un jour, je vous ai rencontrée et vous êtes là. Quelle chance! Vous êtes là et je suis amoureux de toi. Ce qui sauve, ce qui transcende l'amour, c'est TOI.

Je voudrais crier tant j'aime. Je suis libre ce soir. On nous a donné la vie, le miracle de pouvoir nous aimer. J'aurais pu ne pas te rencontrer, jamais!

Nous pouvons mourir: nous nous aimons. Je te donne toute ma vie. Prends-la. Fais-en ton sang, ta respiration, ta pensée. Je te donne toute ma vie, je te fais moi.

Je vous aime comme jamais.

Frimousse.

Oui, votre confiance me touche. C'est d'ailleurs la seule confiance d'un être qui m'ait touché depuis que je suis un peu conscient. Je savais que G... ne peut rien, et ne fera rien pour moi. De toute façon, on n'a jamais rien à attendre que de soi.

Il n'y a que vous qui puissiez savoir ce qui se passe au fond de ma pensée. Je vous ai dit des choses que je ne pourrais dire à personne d'autre.

Vous m'avez fait renaître. Très lentement, j'apprends à vous aimer, à apprécier à sa juste valeur ce don merveilleux de vous-même. Si la vie nous accorde d'exister l'un pour l'autre, longtemps, je voudrais vous prouver que ce don n'est pas stérile, qu'il a fait naître un homme. Je voudrais tant qu'il soit de même pour vous, que mon existence puisse vous combler, servir à vous donner la joie, la plénitude.

L'Art, ce n'est pas un aboutissement, ce n'est qu'un moyen. Pour que l'Art ait raison d'exister, il faut qu'il serve la vérité. La vérité n'est-elle pas Amour? Et pour moi, la plus belle, la plus vraie image de l'amour, c'est vous qui me l'avez offerte. Vous êtes donc le but de ma vie.

Comprenez surtout que ma musique est au

service de NOTRE Amour, puisque c'est lui, je le sais maintenant, qui m'a offert cette musique. Lorsque je joue, dites-vous, je ne pense plus à rien. Oui, c'est vrai, je ne pense plus. Je me libère de toute crainte, j'agis librement, et cette liberté, c'est l'amour. Cet amour, c'est vous. Lorsque je joue, c'est pour vous que je joue.

Quand vous êtes si loin, physiquement, et que cette pensée me devient intolérable, je joue ; alors, la musique me délivre du temps, des distances. La musique m'emporte à vous. Je suis sûr que vous avez senti ces moments-là. La musique, ça vous accompagne partout où vous allez.

Amour, mon âme chérie, j'ai peur que vous ne croyiez rien de ce que je vous dis. Pourtant, je pense n'avoir été jamais plus sincère. Ce soir, j'ai pensé à la mort, la mort pour une cause injuste, la mort plus qu'inutile : ceux qui meurent en Algérie d'une guerre qui va contre la vérité et dont on inscrira sur la tombe : « Mort pour la France. » N'est-ce pas une mort atroce que celle d'un homme obligé à se battre contre sa propre foi ?

Ce serait terrible de mourir pour autre chose que la vérité. J'en ai longuement parlé avec Pico. Il part en janvier, moi en mars (c'est presque sûr à présent, je suis sur les listes). Je voudrais tant vivre assez pour défendre cette part d'amour qui sauve chaque homme de la médiocrité du monde, de son absurdité.

Chérie, je pense à ce que vous avez dit : « Maurice et Hélène se promenaient sur la plage... » Nous, nous avons des plages et des soleils au fond de nous, brûlants, vivants — oh ! oui — bien vivants, dont ils ne connaîtront jamais la douceur ni le rayonnement. Antonioni préférait, à l'éclipse solaire qu'il avait filmée, celle qui était au cœur de ses personnages.

Vivre ou mourir, ce n'est plus rien, si l'on ne vit et ne meurt par amour !
Merci de votre lettre, si belle, d'aujourd'hui.

Allemagne, vendredi 24 novembre 1961,
la nuit.

Vous seriez un oiseau.

Vous auriez volé pendant mille kilomètres.

Vous seriez venue vous poser sur le rebord de la fenêtre, très tôt ce matin.

Vous auriez vu un monsieur à tête de Frimousse (toujours la même), une guitare dans les bras, des partitions, des notes devant lui, et qui faisait des gammes. Ce monsieur s'appelant Higelin, vous auriez souri (tel un oiseau à qui « on ne la fait pas ») et vous vous seriez envolée.

Puis, comme vous auriez eu quelques doutes, vous seriez revenue sur le coup de dix heures.

Et, ô suprise! un Higelin, avec toujours des notes et des gammes.

Onze heures, pareil! Midi! (... là vous auriez eu un appétit d'oiseau que vous seriez allée satisfaire).

Et puis vous auriez beau être revenue tout l'après-midi, c'eût été la même chose.

Et même, si vous aviez dû attendre jusqu'au soir, Higelin vous aurait joué des choses difficiles, qu'il avait bien du mal à faire avant aujourd'hui, des choses très jolies et tristes parce que vous n'étiez pas là, oiseau incrédule et moqueur!

Non! Vous étiez quelque part, diable seul sait où.

Ça n'a pas empêché le Monsieur Frimousse de vous offrir le résultat de son travail.

Ça vient! j'ai réveillé ma guitare, elle commence un peu à m'aimer — elle a l'air de s'appeler Pipouche. Elle attendait, elle aussi, que je me décide à lui faire des avances. Une guitare, ça ne s'aime pas n'importe comment. C'est très fier d'être guitare, une guitare! Surtout que la mienne s'appelle Crolla; elle n'allait pas se donner comme ça, à n'importe qui, de but en blanc! Sachant qui elle était, elle ne pouvait se permettre l'amour d'un musicien médiocre, encore moins une « passade » amoureuse.

Non! il lui fallait un amant pour de vrai, un amant qui lui donnât la vie, un nom.

Un jour, Amour, vous verrez! je saurai vous rendre heureuse. J'écrirai de la musique pour vous la chanter. Parce que vous êtes venue, parce que vous êtes restée, j'ai compris que ma guitare était belle, que m'apportant la vie par amour vous ne pouviez vous tromper. Je vous demande pardon, j'ai l'air de me répéter à chaque lettre, mais j'aime tellement que vous sachiez la joie, l'émotion que j'éprouve à découvrir, à progresser.

Je me sentais si dispersé, incapable de pouvoir jamais me réaliser dans l'art, et je découvre progressivement que ce n'est pas chose impossible. Quel bonheur après un jour de travail, à l'écoute des premiers résultats (oh! bien timides encore) lorsqu'on prend conscience de ses possibilités.

JE T'AIME

Aujourd'hui, la plaine est toute blanche de givre, avec ses squelettes d'arbres noirs. J'aime le froid glacé de l'air. Est-ce qu'il fait froid où vous êtes ? Comment sont les êtres avec vous ? (ceux qui vous aiment). Il ne faut pas que vous ayez froid, je vous le demande parce que, parfois, votre corps me manque terriblement... votre chaleur d'amour, si profondément sensuelle.

Comme je saurai vous aimer ce soir, calmement, avec cette religion de l'amour qui est en nous. Nous connaissons maintenant cette plénitude, cette jouissance des corps amoureux, comme un océan immense, ce désir si large, cette lumière épanouie.

MA FLAMME, MON SOLEIL TENDRE, ce soir, chaud... demain ?

Les matins de caserne sont glacés en Allemagne, au réveil.

Dimanche 26 novembre 1961,
une heure du matin.

Rentré ce soir de Baden-Baden. Deux lettres de ma Pipouche. Pipouche heureuse? alors moi aussi. Petite femme gâtée, avec son itinéraire de souvenirs: Saint-Nazaire, Rennes, Fontainebleau, Châteaubriant... et plein d'autres encore!

Oh! à Baden, aujourd'hui, très chouette... Un orchestre de jazz allemand, vieux style Dixieland, joué par des jeunes de dix-sept, dix-huit ans (vous savez, à l'hôtel des officiers où je vous jouais de l'Erroll Garner). On avait eu vent d'un concert, Jean-Louis et moi. Alors, ni deux ni trois, on fait un saut.

Vous me connaissez: un piano Steinway, les mains qui commencent à s'agiter, une fringale! une débauche! j'en ai trempé ma belle chemise toute bleue. Les Allemands, ça les rendait fous, y voulaient plus me lâcher! J'ai fait du Higelin-sous-Fats-Waller-sous-Garner-sous-Jazz-moderne! Faut me pardonner, c'est tout ce que je sais faire (ô rage, ô désespoir!), j'étais emballé. Le vieux style, c'est toujours très marrant, très sympathique. Ça a une odeur de phonographe à manivelle, terrible! On était tous très contents de jouer ces vieux trucs: *Saint Louis blues, When the saints go marchin'in, Struttin' with some barbecue* (Sidney Bechet), *Aint misbehavin'* (F. Waller), *Hey-ba-ba-re-bop* (un morceau très swing de Lionel Hampton). Je te dis les titres parce qu'ils «sonnent» bien et qu'on n'a pas manqué de les faire «sonner».

Après, j'ai chanté le blues. Traditionnel, primitif ou moderne, c'est ce qu'il y a de plus beau dans le jazz. Le blues, c'est la joie, la tristesse de l'homme, ses «histoires». C'est l'âme, le soleil noir du jazz. Que ce soit Big Bill Broonzy ou Miles Davis qui l'interprètent, ça reste pour moi ce qu'il y a de plus pur, de plus vital dans cette musique. Un type comme Miles ne recherche pas la virtuosité technique, les «effets»; il a quelque chose à dire. En l'écoutant, il nous vient une émotion forte, un sentiment d'insécurité. Sa musique souffre, elle a faim. Elle est chaude comme le bonheur et la misère des gens et, un jour, ils comprendront que c'est eux qui la lui ont inspirée.

Vendredi 8 décembre 1961.

HIER, voyage en car à travers la Ruhr.

Imaginez un pays de fumées charbonneuses : usines gigantesques, centaines de cheminées, de roues, de cylindres énormes, volumes de feu, de lumière, faisceaux des projecteurs, pyramides de charbon sur horizon de fer et puis les « demoiselles » (tu te souviens des grues de Saint-Nazaire...) comme un ballet touffu d'insectes mécaniques. Soudain, une multitude de drapeaux aux couleurs vives : le linge à sécher des familles ouvrières suspendu d'une rangée d'immeubles à l'autre, dans les cités, les villages gris rouille, anthracite, établis tout autour des usines.

Un univers dantesque, Saint-Nazaire grossi dix mille fois... et surtout, l'expression de ces visages d'hommes, de femmes et d'enfants, marqués à vie par la dureté des conditions de travail et d'existence, que les mots, seuls, sont impuissants à décrire.

Quand je saurai la musique, je dirai tout ça, tout ce que j'ai vu, tout ce qui souffre et rit de ses souffrances.

En traversant cette région d'Allemagne, je vous sentais là, près de moi, chaude et tendre contre mon ventre — votre chaleur de femme — et nous regardions ensemble, nous comprenions ensemble cet univers ouvrier, cet enchevêtrement de grues, de hauts fourneaux, de charbon, d'usines, parce que nous avons découvert l'amour, cet amour, au milieu des chantiers de Saint-Nazaire.

Vite! Vite, que vous soyez là, que je vous dise tout ce bruit, ce mouvement qui s'imprime en moi; je ne peux plus me contenter d'une lettre.

> Il faut que vous veniez,
> Il faut que je vous donne,
> Que je vous parle,
> Que je joue pour vous...

> ... QUE JE VOUS AIME.

C'EST comme un hôpital où il aurait été écrit en gros sur chaque mur : « Il est interdit de ne pas faire de bruit ! »

C'est aussi un peu comme un asile où il serait interdit de devenir fou !

Une grosse machine à déshumaniser, qui tourne à vide, car le cœur des hommes (le cœur même d'un seul homme) est d'une proportion bien trop énorme et c'est lui qui broie la machine jusqu'à l'humaniser.

À Noël, je dois dire un conte : *La Petite Marchande d'allumettes*. Je n'aime pas ! Andersen essaie toujours de toucher la corde sensible par des ficelles « mélo », d'apitoyer les gens (une pitié toute catholique : histoire de « paradis », d'« enfer », de « royaume de Dieu »). Si j'avais eu le temps, j'aurais dit *Le Petit Prince* de Saint-Exupéry.

Il fait de plus en plus glacé. Mais il y a une apparition de bleu et de soleil qui est comme une promesse, un sourire tendre de l'hiver.

J'ai froid... dans le corps, pas au cœur.

Quand, au moment de partir, en bas dans la ruelle, j'ai vu votre frimousse de Pipouche à la fenêtre, j'ai dit qu'il fallait que vous rentriez, que vous alliez prendre froid ! Vous seriez restée dix secondes de plus, je remontais, je me jetais contre vous.

75

La seule chose que je ne sais pas faire, avec vous, c'est vous quitter. J'ai beau me persuader que nous ne nous séparons pas vraiment, que nous allons nous retrouver, que le temps et la distance ne changent rien à l'amour... j'ai beau faire semblant de partir «comme ça» (pourquoi en parler, vous savez aussi bien que moi). D'ailleurs, je vous ai laissée avec l'odeur d'Higelin... la longue chemise blanche d'«Aladin».

Dans la rue, je riais. Il faisait si froid, et je nous voyais courant pour nous réchauffer, vers ce petit restaurant, tout illuminés de rires, si jeunes, si confiants : un défi à la gravité imbécile du monde !

Très longtemps, j'ai espéré une femme qui eût la puissance morale, la force, la sensibilité passionnée d'une «vraie femme», et la pureté, la limpidité, la fraîcheur naïve d'une jeune fille. Je trouve tout cela en vous. Toute cette source de vie qui alimente l'amour. Ce soleil bouillant et rieur, ce soleil fort qui brûle le corps jusqu'à le consumer entièrement.

Oh ! je vous aime d'être, de donner le maximum de vous-même et de vouloir donner encore plus.

Henri admirait la générosité parce qu'elle tue l'égoïsme, parce qu'elle tue le mensonge.

Si l'on garde jalousement pour soi ce qui nous est donné par la vie, il arrive un jour où, à force d'être rempli de tous ces dons, il ne reste plus la place de rien recevoir. Et toutes ces choses reçues pourrissent en nous, nous intoxiquent, nous étouffent.

En nous ouvrant l'un à l'autre, nous pouvons chacun offrir à tous la richesse de nos deux vies, le rayonnement de cet amour.

Je t'aime tant.

27 décembre 1961.

Maïa Pipouche,

Il faut que je te réponde, point par point, sur ces deux lettres. Mais pas tout de suite. Je veux d'abord les laisser mûrir, ces lettres.

La réponse, elle est déjà dans le cœur. Il faut savoir vous le dire sans se tromper sur les mots. Avec la guitare, j'ai déjà répondu (cela m'est plus facile de le faire en musique, et vous l'avez compris).

À Noël, je n'étais pas ivre, j'ai pris ma guitare, un accordéon — ils étaient tristes — mon grand cadeau, ça a été de les faire rire pendant trois heures et puis d'aller m'allonger tout seul dans ma piaule, avec toi, avec notre musique. Ce soir-là, vous avez dû penser très fort à nous deux. J'ai senti combien vous étiez là quand j'ai fait rire les potes et puis, quand j'étais seul avec ma guitare. Tellement ça m'a fait chaud.

Il y avait une grande illumination dans mon cœur et ce soleil, il est pur (pas d'alcool là-dessous, pas de café, plus de cigarettes...). Ce n'est pas un soleil de fabrique, un soleil de commande. Ni l'isolement, ni la solitude égoïste ne peuvent procurer cette émotion.

Mon âme, la tristesse c'est bon pour les « aigris », les « chassieux », les « pourris du cœur et du corps ». Comment peux-tu imaginer ton Higelin vraiment triste... Je hais la tristesse, c'est l'étendard des lâches, celui qui camoufle leur impuissance à vivre pour aimer. Je ne peux plus être triste, même au centre de la médiocrité, même dans ce milieu cafard-bidasse, avec vous dans le cœur. Ce serait nier l'amour, nier l'avenir de NOTRE AMOUR.

NON! NON! NON! je ne veux pas vivre avec vous pour vous foutre sur le dos mes accès de colère ou de découragement. Comment oses-tu penser cela! Moi qui aime vous voir rire, vous faire partager les craintes ou les espérances qui m'assaillent chaque jour.

Lorsque tu doutes (je comprends... mais) c'est comme si tu refaisais de moi l'étranger que tu as connu en été 1960. Regarde notre amour, tel qu'il est maintenant, tel qu'il évolue chaque jour, comment il se bat devant les contraintes qu'on lui impose. Il y a quelques mois, je n'étais pas ce que je suis. Vous ne savez pas à quel point vous pouvez me blesser par certaines pensées. Je ne me contente pas seulement de votre corps, de votre générosité morale, moi aussi je vous attends. Lorsque j'ai écrit : « C'est pour toi que je chante », c'est au féminin que je l'ai pensé, pour que ce soit *vous*, et personne d'autre, qui l'interprétiez. Parce que je n'en dis rien, vous pensez que la vie de ma femme ne m'intéresse qu'en fonction de ce qu'elle peut me « profiter »! Grossière erreur, mon joli chat! Croyez-vous que le fait d'avoir repris vos cours de danse, de solfège, me laisse froid? M'indiffère?... Pipouche, écoute bien : si je doutais, je ne vous entraînerais pas avec moi. Ce que j'entreprends, c'est en VOTRE

NOM. Je n'estime pas avoir le droit de me rater : ce serait vous tuer !

J'ai joué avec vous ?!! Est-ce cela que vous pensez en vous souvenant des premières époques... ? Que je désire encore « m'amuser » de vous ? C'est en doutant que vous pourriez me perdre !

Quand je regarde le chemin parcouru, la route qui s'ouvre devant nous, j'ai envie de rire, très fort, de vous prendre dans mes bras et de vous y garder longtemps ! Longtemps !...

Ton musicien.

Petite âme, je ne pourrai pas venir avant le 15 janvier. Écrivez pour me dire ce que vous faites, quand vous partez... Dix jours à passer Dieu sait-on où ? Vilaine petite « voyoute » !... Si vous veniez, est-ce que vous pourriez apporter le disque de Monk 3 et quelques autres Modernes qui sont dans la mallette (celui de Kenny Burrel, à cause du solo batterie) ?

JE T'AIME

Votre Frimousse.

Allemagne, 1ᵉʳ janvier 1962.

Ma petite femme, chaude et grave, dans la lumière qui effleurait votre visage, après l'amour, encore le désir. Je regarde votre chair, sous la caresse de la lampe, cette soie de votre peau qui appelle mes mains.

Quand j'embrasse votre cou, l'envie sauvage d'y planter mes crocs, de vous mordre jusqu'au sang, de prendre de vous cette sève pourpre qui fait votre corps brûlant dans l'amour. Tandis que mes doigts effleurent ce corps tendu, épanoui, des poignets au creux des paumes, le long des bras jusqu'aux aisselles, le frisson soudain sous cette volupté de douceur âpre... Glisser encore longuement jusqu'à enserrer votre taille et sentir votre être se contracter, se détendre soudain, s'élancer vers quelque chose infinie... Vous prendre contre moi, ma tendresse, et lentement, de tous les muscles, de tous les reliefs de mon corps, me fondre en vous... Poser, comme un oiseau de proie, mes lèvres sur la douceur humide et rouge de votre bouche qui est la fleur et le fruit de votre visage. Relever ce visage pour découvrir, sous les paupières mi-closes, noyées d'ombre, l'éclat velouté d'un regard lourd, félin, ce regard humide de petit chat amoureux...

Tenir dans mes bras, contre mon corps, contre mon cœur, cet être qui est un miracle de beauté.

Revivre l'émotion du premier corps de femme qu'on serre contre soi, quand on est encore l'enfant qui apprend l'amour, je croyais avoir perdu ça.

Vous m'avez réappris la fraîcheur d'aimer.

Allemagne, 1ᵉʳ janvier 1962.

CE matin, le gris très beau, un ciel long, le vent doux. J'aime quand il fait gris et sec, il y a des grands oiseaux noirs qui font la sarabande sur la plaine. Je me sens léger, ballotté par le vent qui vous frotte la gueule de grandes bourrades sympathiques...

La nouvelle année, ça ne change rien, à part la gueule des copains qui te serrent des poignées tant que tu veux, avec des sourires de jeunes mariés, tous un peu ivres, mais marrants ; qui gueulent « la quille bordel », à tous les courants d'air et scandent des chansons « porno » sur tout ce qui résonne, casseroles, verres, bouteilles, dans un boucan de 14 juillet. Je ferais bien une orgie d'oranges...

En ce moment ! Il y a mon Crolla qui me fait du charme, celui des rues de Naples, ou de Paris, celui des cours d'immeubles, des gosses qui se roulent dans la poussière en poussant des cris pointus, des terrains vagues, des parcs à misères, des « portes de Choisy » ; l'odeur des ruelles tristes, du ruisseau qui fait son chemin au bord de la rue, le long du trottoir, qui prend des allures de fleuve ou d'océan quand les enfants y sèment leurs vaisseaux de papier ; le visage d'un homme très maigre qui revient dans son quartier détruit, écrasé sous les blocs énormes des «immeubles modernes», qui regarde les vitrines, les visages des gens, et les jeux des gosses ; et puis les amoureux de foire du Trône, le monde entier vu par Prévert, peint par Chagall, la musique au sourire en larmes, une guitare aux «Puces», BONNE ANNÉE, HENRI !...

Je vous vois heureuse, je vous vois rire... quand vous riez, c'est une pluie de soleils. Je suis resté deux jours avec vous et ma rose est morte de solitude, d'abandon ! Elle en a perdu tous ses pétales, j'étais désolé. Tu vois, on ne peut pas aimer à la fois deux roses ! Celle-ci me venait de Vous, j'ai eu un peu honte... petite flamme chérie, j'attends toujours, chaque seconde, VOUS... Je suis «sage» !

JE T'AIME

Allemagne, vendredi 5 janvier 1962.

PIPOUCHE chérie,

J'ai de l'albumine, le nez infecté! Bon, ils ont décidé de m'envoyer demain matin à l'hôpital de Bulh qui se trouve à une trentaine de kilomètres de Rastatt.

Surtout ne soyez pas triste de n'être pas venue... J'avais la fièvre depuis déjà quelques jours; état physique général assez bringuebalant, mais pas grave. Simple petite déficience.

Oh! je me faisais une fête de vous voir. La vie est « con » avec ses petits empêchements.

Une nouvelle à laquelle je n'ose pas trop penser: je ne partirai peut-être en A.F.N. qu'au début mai.

Bulh!... Là-bas, je vous donnerai ma nouvelle adresse.

Ma flamme chérie, il ne faut jamais être triste.

Je vous aime profondément.
Je suis toujours avec vous.

Votre Jacques.

Hôpital de Bulh, mardi 9 janvier 1962.

Maïa Doucha Génia,

J'ai fini, hier soir, *L'Enfant* de Jules Vallès. Bouquin généreux. Une belle tendresse d'homme pur. Comme il aime tout de qui est vivant! Il ne prend jamais que ce qui vient d'abord du cœur. La vérité se trouve dans le geste spontané, la parole libre. Si la pensée ne vient pas d'un élan d'amour, elle se dessèche rapidement au contact de la vie.

Et toi, petite femme chaude toute brûlante de tendresse, tes gestes sont pour étreindre la vie à pleins bras, à pleines mains, à plein cœur. Tu voudrais que les gens soient heureux, tous, tous ceux que tu aimes... Mais, amour, il faudrait se donner à chacun entièrement! Et je te vois triste et amère, comme samedi, parce que leur découragement, leur tristesse te gagne, leur « apathie désespérée » tue ton enthousiasme, freine cet élan de jeunesse qui te brûle; alors, tu te fermes, tu te replies sur toi-même. Dans ces moments-là, il y a comme du dégoût, de l'aigreur sur ton visage...

Moi, je t'aime quand tu me regardes et que tu souris, quand tu t'étires en grognant comme une jeune chatte, que tes yeux brillent quand tu as envie de moi, et que tu viens serrer très fort tes bras autour de ma taille, ou que tu voudrais bien aller te promener parce qu'il y a un grand soleil dehors... Quand tu es en colère de l'injustice des hommes, quand tu danses — oh oui! — quand tu fais des sourires aux «bidasses», des sourires pour rien, simplement parce que c'est bon de vivre pour l'être qu'on aime... Je t'aime quand tu «désires» (le désir, c'est tellement beau, c'est si important de *désirer*). Je t'aime quand, après l'amour, tu me regardes longuement et que je ne sais plus si tu vas sourire ou pleurer; quand je te vois heureuse d'offrir ton corps à mes caresses et de m'y voir prendre autant de plaisir que tu en reçois, avec la même ferveur, la même passion. Je t'aime, quand tu regardes les mains et les visages comme si c'étaient des miracles. Quand, rassasiée d'amour, tu somnoles et que je continue à t'aimer avec ma guitare (je te croyais endormie et j'osais te contempler en jouant...!).

Tu es du soleil! Ne regarde plus ce qui est inutile à l'amour, ça ne te concerne pas.

Hôpital de Bulh, mardi 9 janvier 1962.

À L'HÔPITAL, à table, certains disaient des conneries, des lieux communs, des trucs entendus mille
fois, pour rien...
   Ils disent ça comme on prend une cigarette,
pour meubler !
   Eh bien ! je n'écoute pas, je suis ailleurs avec ce
qui est vivant, avec toi et notre musique...

   Amour, vous avez des tas de choses à faire ! Il y
a plein de gens qui ont besoin de vous, de votre
énergie, de votre vérité.
   Ne vous arrêtez pas sur la tristesse ou l'apathie, ne vous laissez pas « avoir » !

   Moi, je dis qu'il y a de la force en vous, du
printemps, une jeunesse pleine de sang et de
lumière. C'est cela qu'il faut toujours, envers et
contre tout, sauvegarder. Et puis...
   RIRE

      Je t'aime profondément

                        Ton Higelin.

Ça y est! Je suis guériiiiiiiiii!!!

J'ai envie de faire des bonds à travers tout l'hôpital!

Départ vendredi, à l'aube... Vive toi! Je t'aime...

Tu as la « bouille » à West Montgomery (couverture de *Jazz Hot*), le guitariste: toute ronde, pleine de naïveté, de drôlerie et de gentillesse. Je ne l'ai jamais entendu, essaie d'écouter un disque de lui pour me dire ce qu'il « donne ».

Il est classé actuellement comme meilleur guitariste jazz, mais je me fie peu aux référendums.

Si ce qu'on rapporte de John Coltrane est vrai, c'est un type très chouette. Ce n'est pas facile de rompre avec les habitudes musicales, de « tuer » les ficelles. Je regardais des photos de lui: belle tête, yeux purs et lucides, très humain, pas facile avec lui-même. Je suis sûr que tout comme le « mur du son », il y a un « mur musical » qui demande à être crevé. On dirait que Coltrane s'efforce contre ce mur, qu'il veut faire éclater, par un mouvement de puissance continu et acharné, l'écran musical de la sonorité et de la technique! Toutes les formes classiques, toutes les combinaisons de la musique, sont en voie d'être épuisées. L'artiste éprouve le besoin d'un langage qui dépasse les formes usuelles (et usées). Il peut le trouver en se lançant de tout son être, avec acharnement, en se libérant, par l'inspiration, de toute contrainte théorique, harmonique, mélodique, rythmique.

Mais pour arriver à cette évolution, encore faut-il déjà posséder une virtuosité, une technique et une connaissance théorique énormes... Votre Frimousse est bien loin d'être arrivé là. Ne croyez pas que je me décourage, bien au contraire: je sens des «portes à ouvrir», ça me stimule.

Mon tendre amour, il est presque deux heures du matin! Venez là, contre moi... Vous avez chaud? oui? non?... On avait bien sommeil! le temps de se rouler en boule, on s'est endormie dans les bras à l'higelin! On en ronronne presque, mon petit chat si joli...

Oh! je t'aime.

Allemagne, vendredi matin, 12 janvier 1962.

Il faisait tellement beau quand je suis sorti.

J'ai fait une balade autour de l'hôpital, acheté une demi-douzaine d'oranges et les ai mangées.

J'ai rempli mes poumons, à plein bord, d'air frais. Ce que c'est bon de se sentir vivre à nouveau, respirer tant qu'on peut...

Il y avait deux petits chiens, tout à fait comiques, qui dégringolaient dans l'herbe. À mon passage, ils se sont arrêtés et m'ont regardé passer avec le plus grand sérieux.

J'ai reçu une lettre d'amour qui m'a rendu malheureux... Parce que la dame qui me l'a envoyée n'était pas là pour me la lire.

Ai trouvé un air à Henri (Crolla) dans *Guitare et Musique* que j'ai travaillé. Dans deux jours, je le jouerai correctement.

Voilà ce que c'est : maintenant que je possède deux médiators, je ne m'en sers plus. Préfère nettement les doigts : beaucoup plus de ressources dans la sonorité, plus avantageux et plus riche sur le plan technique.

Je voudrais que ma Pipouche soit heureuse et lui faire oublier les médiocrités et les laideurs qui encombrent la vie.

Il ne faut pas douter, jamais ! D'abord, parce que j'ai confiance en vous ; et puis, parce que vous êtes « artiste » dans toute la force et la pureté du terme.

Quel que soit le langage que vous choisirez pour exprimer cette vérité d'amour qui est en vous, il sera juste. La générosité et la sincérité feront le reste. Je voudrais tellement que nous puissions nous exprimer ensemble comme nous nous créons.

Vous voir, vite !

Ta Frimousse.

Lundi 15 janvier 1962.

Vous savez pourquoi Crolla m'a donné envie de jouer : il me disait que je faisais des progrès, que je le dépasserais. Il m'a donné confiance, la Foi ! Il m'a permis de jouer avec lui comme si j'étais son égal. Après, j'ai douté — quand il n'était plus là. Et puis vous m'avez engueulé, parce que vous sentiez combien j'aime la musique. Eh bien maintenant, je *crois*... Je mettrai peut-être dix ans à apprendre toutes les formes musicales d'expression, à travailler jusqu'à perfection ma technique, mais j'arriverai jusqu'à la création. Il n'est pas trop tard, même si j'ai vingt et un ans, à condition de travailler avec acharnement. On m'a cité, hier, l'exemple d'un type qui a fait du droit jusqu'à sa licence et qui, à vingt-cinq ans, s'est mis à étudier la musique (sans en avoir jamais rien appris auparavant). Il lui a fallu trois ou quatre années, seulement, pour obtenir un résultat satisfaisant.

Hier, j'ai passé mon dimanche avec Pico.

Dans les rues, on a chahuté comme deux gosses.

On est allé voir *La Ballade du soldat*, c'est beau... ! ça m'a fait rire et pleurer... La mère qui court dans les champs pour voir son gosse. Lui et la fille, dans le train, illuminés ! Quand ils se regardent et sourient. Quand il va chercher l'eau : le haut-parleur qui diffuse les nouvelles du front. Les visages formidables des acteurs. Ça nous a retournés, Pico et moi! Quand on est sorti du ciné, la nuit était douce, pleine d'étoiles... On est allé dans un café... parlé de l'Algérie, la guerre, tous ces gens qui lisent *L'Aurore* et qui s'en foutent!

Votre lettre m'a fait tant de bien! Dès l'enveloppe, j'ai senti que l'âme était « au soleil ».

Je ne sais pas si j'aurai trois jours, ou « une de quarante-huit heures » ou « une de trente-six heures » ? Si c'est trois jours, je me constitue prisonnier pour les passer enfermé dans vos bras.

Chaque jour, attendre... Ah! c'est long, long!

Demain, j'aurai la réponse.

Je t'aime... je t'aime... je t'AIME.

Mardi 16 janvier 1962.

AUJOURD'HUI, Pico s'en va.

On a parlé longtemps, hier soir...! Projets, avenir, rester droit, trouver du fric pour un film. Il y a des fois où on se sent un peu angoissé devant la vie.

Hier soir, cette impression pénible m'est restée longtemps dans la tête et dans tout le corps... En parlant, on vieillissait, on se sentait lourd de tout cet avenir. Après la quille, Paris, repartir à zéro... Même avec des tas d'idées dans la tête, tant qu'on n'a rien matérialisé, c'est du vide. Il y a peu de gens vraiment purs et solides dans ce métier. Tellement de tricheurs, de futurs ratés, de cons, d'arrivistes avec de la haine plein le cœur pour ceux qui ne pensent et n'agissent pas comme eux, de mesquineries qui blessent et découragent les talents réels. Faut être costaud pour soulever toute cette merde, passer dessus ou dessous, et se secouer les épaules un bon coup pour s'en débarrasser. La force, c'est de ne jamais s'écrouler, pas même une seconde; on n'en a pas le droit, ni le temps. Quand on avance, c'est jusqu'à ce que la mort vous tue, vous tue en pleine bagarre. Mais ça, ce n'est encore que des mots, il faut les porter, ces mots, à bout de bras, jusqu'à ce que les bras puissent se passer d'eux.

Vous êtes venue me chercher, me tendre votre cœur. Le premier soir, sans me connaître, vous m'avez offert votre corps, parce que c'est tout ce que je désirais de vous. Et vous en avez beaucoup souffert parce que ça aurait pu rater, parce que le lendemain, il y avait de la gêne, de la honte et je ne comprenais pas le don que vous me faisiez.

Vous avez attendu... si longtemps ! C'est long, tous les jours d'une année et demie. Peut-être aujourd'hui, seulement, je découvre ce que représente véritablement tout l'effort de cet amour, tout ce qui aurait pu empêcher son accomplissement, les obstacles qui lui coupaient la route et ceux qu'il reste encore à surmonter, plus énormes, plus hauts, plus infranchissables. Mais maintenant nous sommes deux. Alors on se fait la courte échelle. Celui qui monte le premier tend la main à l'autre et c'est ensemble qu'on saute de l'autre côté.

LES murs, ça n'effraie que ceux qui restent plantés devant! Même si on s'écorche en grimpant, même si on se blesse en retombant... on se repose, on attend que le souffle revienne pour la prochaine escalade. Mais ne rien entreprendre parce que le mur semble trop haut, se dire qu'on n'y arrivera jamais, autant se flinguer.

Pour nous, Amour, on meurt le jour où ayant escaladé le mur le plus élevé et sautant de l'autre côté, on se fracasse le crâne et tout le reste en s'écrasant au sol. Mais on meurt bien vivant, en plein saut; sans jamais avoir eu le temps de s'habituer à l'idée de la mort, sans s'être «vendu» à elle. C'est comme ça qu'il faut vivre, comme ça qu'on respire et qu'on aide les autres à respirer; parce qu'ils voient où on voulait en venir, le pourquoi et le comment de notre acharnement à lutter, à franchir ces hauts murs dont la peur nous entoure et nous tient prisonniers.

JE T'AIME

à tout de suite...

QUAND vous m'avez quitté, hier matin, vous m'avez dit que je ne perdais pas mon temps puisque j'avais appris à vous aimer. Comme c'est vrai! Et je bénis le service militaire de renforcer chaque fois mon amour par les épreuves qu'il lui impose. Et puis il y a encore cette longue année qui décidera de tout ou de rien. De tout, si nous le voulons de toutes nos forces. De rien, si nous sommes trop lâches ou si nous nous sommes menti à nous-mêmes.

Mais désormais, ça ne peut plus être « de rien ». Ça ne serait pas possible de nous « ignorer ».

J'ai passé ces trois jours d'une façon formidable. J'étais si bien, si heureux de partager, avec vous, l'intimité de notre amour. Vous regarder, ma vie, vous entendre me dire ce que j'aime entendre. Vous me lisez toujours des lettres, des livres, des contes et moi, j'aime tellement être couché, blotti contre vous et vous écouter... Vous savez lire comme personne. On voit vivre les gens, les atmosphères, le cœur des livres. Et puis vous aimez tant chanter! Ça me donne toujours envie de jouer, de chanter avec vous — et danser! à me ravir! Quand vous êtes là, la vie se met à tourner dans tous les sens, jusqu'à ce qu'il s'en dégage une odeur de tendresse amoureuse, de fête. Tout prend des couleurs de livres d'images — plein de petits soleils qui éclatent dans le cœur — un flot de lumière brûlante. J'ai envie de crier ma joie partout.

Ma Swadka chérie, plein de baisers pour vous : je suis heureux...

Il y a eu du soleil, hier, sur les routes ? Ici, il faisait si beau ! Ça m'a rendu tout mélancolique. J'aurais voulu vous avoir avec moi — dans les champs — à rire et courir tous les deux.

Et maintenant, encore combien de jours sans vous voir ? Une semaine, c'est déjà si long ! Ça n'en finit plus d'être sans vous.

Hier, je regardais la route par la fenêtre, dans l'espoir absurde de vous voir revenir. J'avais du mal à imaginer que vous soyez vraiment partie. Je pensais : « Elle m'attend dans notre chambre, ce soir je la verrai ! »

Pour me consoler, je m'endors et je vous rêve... vous venez avec ce sourire de l'amour qui m'apaise et m'envahit.

Écris vite, au reçu de ma lettre, pour me dire que votre voyage s'est bien passé. Je vous veux plein de bonheur et encore plus.

Écris vite, même si on n'a pas envie ! Maïa Swadka Génia. Ia tibia Loubliou. Je t'aime.

Jeudi matin 1er février 1962.

Écouté les nouvelles de la manifestation. C'est bien que les choses se soient passées dans le calme. Il est bon de sentir que les manifestants représentent un courant, une force, capable de se faire respecter si on l'agresse ouvertement — mais aussi, face aux provocations de toutes sortes, de se maîtriser !

Si tous les gens qui descendent dans la rue n'abandonnent pas la partie, s'ils mènent à bien leur mouvement, on peut espérer la paix en Algérie... comme en France !

Pour cela, je crois qu'il est nécessaire, même si on ne s'en sert pas, de porter l'arme sous le manteau.

À ceux qui lui imposent leur loi par le viol, la torture et la force armée, le peuple se doit de répondre qu'il n'est pas seulement voué au rôle de « martyr », mais capable de défendre son droit à l'autodétermination jusqu'au bout. Il faut que l'O.A.S. se sente, à son tour, menacée par les femmes, les enfants et les hommes qu'elle terrorise ; que cela lui donne à réfléchir sur la détermination du peuple algérien à se libérer de cette emprise coloniale qui, depuis si longtemps, étouffe sa culture, exploite sa confiance, et tourne en ridicule ses aspirations les plus légitimes.

Ma tendre, est-ce que les mille baisers amoureux vous ont suffisamment troublée? Sinon je
suis prêt à les doubler d'autant de caresses, jusqu'à ce qu'on demande grâce!... Hum! On est si
« fière », à ce que je sais, qu'on mourrait plutôt
d'amour sans avoir jamais supplié.

Je me suis renseigné pour les « permes » — il
paraît que le « vieux » (pitaine) ne signe plus de
« nuits » (privilège désormais uniquement accordé
aux hommes mariés). Seules les « spectacles », qui
vont jusqu'à une heure du matin, sont autori-
sées...!

Si vous aviez les moyens de venir vendredi, à
midi comme convenu, je serais si profondément
heureux. Mais je ne veux pas que mon désir de
vous voir vous oblige en rien; je vous l'ai déjà dit,
je n'ai aucune responsabilité financière et je ne
veux pas que vous fassiez des dépenses pour moi.
Ne m'achetez plus rien. Votre générosité vous
fait toujours vous oublier en faveur des autres.

Denise a raison, mon plus grand cadeau,
quand vous n'êtes pas là, c'est une lettre de vous!
Mon soleil de toute la journée: votre amour. C'est
ma raison de vivre, ce qui me fait rire et avoir
confiance en tout.

Il faut être simple, alors tout devient simple,
même ce qui semble avoir mille côtés cachés.
Cela ne veut pas dire facilité, bien au contraire.
C'est difficile de rester clair dans une société
brouillée, névrosée.

Je ne veux rien d'autre que vous qui êtes ma
lumière et ma vie. Mon énorme cadeau de la vie.
Le plus beau qui puisse être fait à un homme.

Ta Frimousse.

2 février 1962.

QUAND je vois vos grandes lettres le matin sur mon lit, c'est comme si vous veniez vous jeter dans mes bras.

Je prends le message, j'y enfouis mon visage, je vous couvre de baisers, et puis je l'emporte jalousement dans une pièce vide.

Et là, seul, avidement, je vous déchire.

Je tremble de joie et d'émotion, je découvre les mots qui me caressent, qui me bouleversent.

Les mots, la voix, l'élan de ma femme tendre et chérie !

Une journée avec une lettre de vous, c'est l'espoir. Intense soleil de feu qui me tourbillonne dans le cœur.

Une journée sans nouvelles de vous, c'est ce même soleil d'espoir, mais troublé d'inquiétude.

Je suis heureux, tellement, de votre joie de vivre.

Vous m'avez dit : « Je crois. » C'est le plus beau cadeau que vous pouviez me faire !

Je t'aime, tu es belle, tu es vie.

J'existe pour et par toi.

Je ne sais comment vous remercier de m'avoir fait lire Jules Vallès. Quelle force! Un cri de colère! J'ai hâte de lire d'autres livres comme *Les Thibault* ou *Jacques Vingtras*, de connaître l'histoire des révolutions.

Pour m'avoir aidé à ouvrir mes yeux, je sens maintenant le bonheur profond que vous me vouliez! Aucune femme n'a jamais ébauché le moindre geste vers une lucidité à deux comme vous l'avez fait. Si vous saviez la reconnaissance morale que je vous porte, combien il faut être doué d'amour pour une telle obstination à éclairer l'être à qui on mêle son existence.

Comme je vous aime maintenant avec calme et lucidité, et comme j'ai du mal à vous cacher au fond de moi! Je voudrais mêler votre nom à chacune de mes paroles, mais je me retiens. Je ne veux me confier qu'à mes seuls amis, qui sont aussi les vôtres, et me parlent de vous avec la tendresse que je désire.

Hier, j'étais de garde dans un dépôt isolé, à vingt kilomètres de la caserne. La nuit était pleine d'étoiles brillantes, dans le ciel clair et froid que j'aime.

Il y avait là des civils allemands, un Yougoslave qui faisait les rondes avec nous.

J'ai pris mon tour de garde avec lui. Il lit beaucoup, écrit autant, rit à pleines dents à propos de rien, de tout...! On a sympathisé tout de suite à cause du rire qu'on mettait en commun. Il y avait en lui ce ferment de révolte qui germe dans le cœur des hommes épris de justice. Il est pauvre, mais très riche de liberté et de morale. À cet inconnu souriant, j'ai tout confié de mes espérances, de ma foi en notre amour à tous deux (en mi-allemand, mi-français, mi-anglais, ce qui le faisait rire avec gentillesse et gravité). Tu étais dans chacune de mes confidences, chacune de mes paroles d'espoir, et dans la nuit splendide qui nous entourait.

J'ai quitté, ce matin, l'homme qui portait toute ma confession. Il a eu pour moi une poignée de main pleine de chaleur, et un rire où il y avait tout le secret de mon amour, qu'il porte en lui désormais.

Comme il m'est cher ce compagnon de garde que je ne reverrai peut-être jamais! Cela m'a donné une confiance et une joie formidables!

Minou... le vaguemestre...! il faut que je porte mes lettres...!

Vous voir très vite... je bous!

Frimousse.

Mercredi 14 février 1962.

Ma flamme pure... Ma Joie!

Que je suis « méchant garçon » avec vous ! Vous laisser trois jours sans nouvelles ! Pourtant, ce n'est pas l'envie qui me manque de vous écrire.

On est allé jouer *Les Fourberies de Scapin* à Fribourg !

Hier, je suis rentré de Baden à quatorze heures trente après avoir déchargé le camion de ses décors et le vaguemestre, fidèle à ses habitudes, s'était envolé ! J'étais furieux ! Une lettre adorable m'attendait et je n'y pouvais donner réponse avant aujourd'hui. Je ne sais comment me faire pardonner mon silence.

À Freiburg, j'avais une chambre à deux lits.

Je regardais mon lit jumeau avec envie, et désespoir que vous n'y soyez pas couchée ! Et puis je me mettais à la fenêtre, avec l'espoir absurde de vous voir déboucher au sortir d'une rue.

Comme vous me manquez à présent ! Partout, je vous imagine toujours à mes côtés. Je vous prends à témoin des actes et gestes de ma vie. Dans chacun de mes mots, j'invoque votre pensée... et lorsqu'on me parle, personne ne se doute que nous sommes deux à écouter, à répondre.

Avant d'entrer en scène, mardi soir, j'avais un trac fou! Alors je me suis mis à l'écart, seul, pour mieux entendre votre voix qui me rassurait, m'encourageait, me redonnait confiance. J'ai embrassé très fort notre bague — avant et pendant les trois coups — et joué ma scène comme si elle vous était destinée. Très tendu au début, puis de plus en plus à l'aise, exactement comme si votre force, votre conviction me portaient.

Jamais je n'ai été aussi heureux de jouer au théâtre! Parce que je le faisais pour vous. Ça n'était plus un acte «gratuit», ça ne m'était plus «égal» de jouer, même dans un spectacle sans grand intérêt.

Voilà ce que vous m'avez apporté en plus de tout: une *conscience*! Avant, ça m'était égal de rater quelque chose, je pensais que j'aurais le temps de me rattraper; mais à force de se louper et de s'en foutre, on finit par ne plus pouvoir se rattraper.

Il faut solidement accrocher sa conscience à tout ce que l'on fait, c'est le seul moyen de ne rien entreprendre à moitié, le seul moyen d'aller au bout, au fond des choses.

Comme je comprends la volonté de celles et de ceux qui s'acharnent sur leurs propres faiblesses jusqu'à en venir à bout, jusqu'à les anéantir. On ne devrait jamais excuser ou laisser passer une faute. Elle risque, plus tard, de vous être fatale.

Mon amour, peut-être votre grand-mère n'est plus malheureuse dans son monde de la folie. Que sait-on de l'âme des vieillards? Elle est à la mesure, à la proportion de leur univers et cet univers nous est forcément inconnu; aussi bien celui des simples, des fous ou des tout jeunes enfants!

Je pense à *L'Étranger* d'Albert Camus, où il nous parle de la mère du héros, à *L'Envers et L'Endroit* (du même), où il nous entretient de sa propre mère, muette et sourde. Je pense aussi à mes grands-parents; leurs peines et leurs joies viennent parfois de choses qui nous paraissent incohérentes, mais qui s'expliquent très simplement quand on prend le temps de vivre en leur compagnie.

Ma douce Pipouche et sa Frimousse auront peut-être un jour — si tel est leur destin — eux aussi des cheveux blancs... (ou plus du tout!!!), de grosses lunettes qui leur tomberont sur le bout du nez, les traits enfouis sous un masque de rides, des gestes touchants et maladroits qui (je l'espère) feront rire et sourire les petits et les grands enfants!

Coup de téléphone!!!

Non, NON, et NON! Là...! L'Higelin, il est pas méchant! Et on lui a dit «au revoir, monsieur», et sans tendresse encore...! Bon, eh bien moi, je ne vous aime plus du tout! Mais, Amour... on décharge le camion, on monte des décors (deux fois, pour les éclairages), on bouffe un morceau, on joue les deux pièces, on dîne avec les colonels (on a un peu trop picolé, pardon!), on tombe de fatigue, on est allé dormir...

Et le matin, on recharge le camion et on repart pour cent trente kilomètres. Là, on redécharge, on mange sur le pouce, et via «caserne»: quatorze heures trente!! plus de vaguemestre! Et la Pipouche (avec sa grosse bronchite dans la voix) dit tout de suite qu'on a plein de maîtresses, qu'on n'envoie plus de lettres, qu'on l'oublie!... Mais c'est que je suis très en colère, moi, tout à coup!!!

Oh, non, n'allez pas croire ce que je dis. Comment pourrait-on se mettre en colère après une petite Pipouche adorable, qui téléphone parce qu'elle est inquiète, qui envoie deux lettres pleines d'amour sans recevoir de réponse? Je suis très blâmable de ne pas vous avoir adressé, ne fût-ce qu'un télégramme pour vous rassurer.

Une pluie de baisers pour vous faire oublier ma vilenie.

Pour les photos aussi, je vous demande pardon: vous fixer à demi nue sur la pellicule — quelle impudeur —, vous exposer à retirer les clichés chez un inconnu...! La prochaine fois, seule une feuille à dessin sera digne de votre portrait, inspiré par mon cœur, dessiné de mes mains.

Soyez assez indulgente pour me pardonner toutes mes maladresses... je vous connais encore si mal. Ce n'est pas facile de vous apprendre, surtout quand on est un vilain égoïste comme moi!

Merci: votre voix au téléphone, quelle joie pour aujourd'hui!

Je t'aime.

À la garde, vendredi 23 février 1962.

Il fait très froid. Le gars qui est de faction essaie de réchauffer ses pieds en les cognant l'un contre l'autre. Ça va «cailler» cette nuit.

Aux murs du poste et dans les guérites, des inscriptions: «La quille pour la 60 2/b», «À ma femme chérie pour la vie»!... Je ne serai jaloux que lorsque je verrai écrit «À Pipouche, mon amour» et que ce ne sera pas moi qui l'aurai écrit, parce que des «Pipouche», y en a pas des masses et que, dans ma longue carrière de «séducteur» (hum...!), je n'en ai rencontré qu'une seule, même que c'était la plus jolie, la plus douce, la plus adorable des «petite-bonne-femme-tout-en-sucre» (dixit Pico!).

Alors, mon joli petit malade? De quelle humeur vous met cette méchante bronchite?... Je souris, parce que je vous vois roulée en boule sur vous-même, comme un petit animal blessé qui attend que la plaie veuille bien cicatriser toute seule, enfouie sous des tonnes de couvertures! Hein, ma Pipouche?

Et pendant ce temps, votre «pauvre» amant dans son froid glacé d'Allemagne... ça conserve!

J'aimerais tant vous avoir, blottie contre mon corps, douce et tiède, avec votre mal en dedans;

vous dorloter (comme vous n'aimez pas!), vous soigner et puis vous faire des caresses très tendres pour vous empêcher de dormir ou de penser à votre mal. Mais, vous m'enverriez encore balader en me disant «qu'on vous agace»! C'est tellement capricieux, une Pipouche... On a ses volontés, on veut, on ne veut plus et puis on reveut!!! Mais moi je vous aime tellement, vous et vos volontés. C'est formidable, vous avez toujours plein d'idées vivantes, des milliers de visages qui sont autant de preuves de votre vitalité créatrice.

On fait du jazz «New Orleans» maintenant, à la caserne, le soir. J'ai réussi à «embarquer» cinq copains avec moi. On prend nos instruments et on va jouer dans le couloir. Tous les vieux thèmes connus. Les autres bidasses sortent de leurs piaules et viennent écouter nos petits concerts improvisés, ça nous fait passer un bon moment de rigolade. On est même allés jouer aux «chiottes», chacun dans un compartiment. De temps à autre, on tirait la chasse d'eau; ça vous avait un petit côté «concert à la grande cascade» du plus grand chic (odeurs mises à part!!!). L'acoustique est, par ailleurs, excellente dans ce genre de lieu!

Ma dame chérie, lâché dans une caserne, votre prince — Frimousse-hindou-à-collier-d'ambre devient le plus affreux des bidasses et vous auriez bien de la honte (ou du plaisir?) à voir votre amant se promener tout nu dans les corridors en faisant d'horribles grimaces ou montrant ses fesses en gueulant «mon cul» à un copain hilare. Vue sous cet angle, la vie «troufionesque» procure de grandes satisfactions à mes instincts grossiers. Oh! je ne devrais peut-être pas vous faire ces révélations, ni vous dévoiler cette «face» (si j'ose dire) inattendue de ma personne (rires gras! Ha! Ha! Ha!).

Oh! je t'aime!

Et Hubert, hein Hubert?!!... Que je le rencontre celui-là, tiens, qui a osé, un jour de dimanche, me priver pendant au moins une heure des «mamours» de ma Pipouche. Qu'ils prennent bien garde, vos «amants», je me sens d'une jalousie «farouche» et «meurtrière»...

Pardon! Je me sens incapable, aujourd'hui, d'être sérieux. Il fait tellement beau malgré le froid. Je voudrais tant vous avoir avec moi pour vous faire des farces, vous chahuter jusqu'à vous entendre crier «grâce!». Mais ce ne serait pas très sage d'embêter une petite fille malade et de la mettre en colère...

Amour tendre, je vais vous laisser, la garde m'attend et ne se rend pas (deux heures trente dans la glace! ayez pitié!).

Sachez pour votre gouverne que votre higelin a repris sa guitare depuis ces derniers trois jours. Je crois que Pipouche y est pour beaucoup (mais ne lui en dites rien, elle est déjà si fière!).

Les permes sont hélas! refusées jusqu'au début mars, à cause des manœuvres de l'O.T.A.N. Je vous promets ma venue sitôt après.

Minou, guérissez vite, je t'AIME
Oh! vous VOIR!

Je viens d'achever une lettre de couleur pour vous. C'était notre profession de foi. J'y ai mis ce que je sais, ce que je crois profondément de nous, mon élan le plus pur. Mais j'ai tant envie de vous dire des choses, après votre message si triste, tout plein de je ne sais quoi de noir, de désolé, de perdu. Vous êtes un petit Prince corrompu, il vous faut être plus fluide que les mesures du temps, plus lointaine que chaque distance. Les lois des hommes sont bien puériles, bien naïves, ridiculement absurdes, je sais. Eh bien, nous n'en sommes aucunement les jouets. Elles ne peuvent nous atteindre. Elles ressemblent aux femmes outrageusement fardées, couvertes de bijoux luxueux, courtisées par ces hommes, si nombreux, qui s'accordent à les trouver « jolies ».

La loi de l'amour est une loi unique et rare. Elle ne s'adresse qu'aux êtres purs, dont l'âme et tout l'être sont comme un ciel, comme un gros soleil qui réchauffe et fait rire. Nous ne devons pas être esclaves des lois, mais faire de la loi des hommes l'esclave de notre amour. Nous savons la vie, la mort, nous savons l'amitié des êtres, ce que nous nous devons tous deux : la joie de marcher en regardant l'unique et même point.

Je vous aime.

Dimanche 25 février 1962.

MA douce femme, mon Amour,

Ne croyez pas que je n'ai pas compris votre déception d'hier soir.

(On ne m'a même pas dit que vous aviez appelé !) Vous pensiez que toutes les permes étaient supprimées, vous étiez donc sûre de me trouver. J'imagine votre déception lorsqu'on vous a dit que j'étais parti en voiture pour Baden ?

Supposant que j'avais une « nuit », vous m'avez soupçonné de vous avoir menti, d'autre part « Baden » est pour vous synonyme de « plaisir », d'« oubli-Pipouche »... Mon Naïf amour ! Votre Higelin avec J.-L., à la maison des jeunes, écoutant vos disques, puis devant la télé, regardant *Le Cid*, puis au club de jazz, où j'ai joué du piano toute la soirée et, pour finir, retour à la caserne.

Ce matin, ma Pipouche dans les mots de qui je sens toute cette déception, ce doute. Pourquoi, amour ? Regardez-moi et dites franchement si j'ai changé ou si je suis le même que vous avez connu il y a bientôt deux ans. Sachez, mon Âme, qu'il ne m'est jamais arrivé de poser de permission de nuit pour d'autres raisons que VOUS. Mais, je suis bête de me justifier ainsi, peut-être ai-je seulement imaginé que vous aviez douté de moi et m'en suis fait tout un «cinéma»! Je ne sais plus.

Il est bientôt minuit, je reprends ma lettre.

Toute la journée, j'ai attendu un autre coup de fil qui efface de mes pensées celui de ce matin. J'ai même songé à vous appeler. Ce soir, vous étiez à Paris, mais la poste est fermée et on ne peut téléphoner de la caserne.

Oh! mon âme, quelle mélancolie...

Je vous ai attendue toute cette soirée. J'étais pourtant sûr que vous me rappelleriez, ne fût-ce que pour me dire un mot de tendresse.

J'avais le poids de votre peine sur le cœur. Après cette journée, que j'ai peut-être gâchée, je ne voudrais pas que vous vous endormiez dans les bras de votre «solitude».

Comment se fait-il que notre amour nous conduise à un sentiment d'exclusivité presque jaloux? Bien qu'étant homme et femme, je nous vois comme deux enfants, dans le fond de nos cœurs.

Chaque silence de l'autre nous rend inquiets. Aussi, pourrions-nous vivre un an sans nous voir? Est-ce que je pourrais tenir une année entière sans éprouver le désir, plus fort que ma volonté, de venir vous rejoindre?... Quand je pense à notre joie d'être ensemble, dans les très rares moments où cela nous est permis, j'en doute.

Peut-être que cette séparation consolidera notre amour en éprouvant sa force et sa fidélité. Je ne crois pas qu'elle puisse détruire la foi qu'il a fait naître en nous. Pas plus que je m'imagine la mort d'une profonde amitié, je ne peux envisager celle d'un amour véritable. Ne riez pas de moi, mon soleil !

Il y a en vous ce qui me fait trouver la vie plus belle, plus juste, pleine de couleurs et de lumière. Il ne faut pas que notre éloignement encourage les sentiments du doute et de la jalousie, les laisse s'emparer de notre amour, affaiblir, amoindrir la jeunesse et la vigueur de ses élans.

J'ai une foi immense en vous, en votre rire, en cette joie expansive, rayonnante, qui se laisse éclater lorsque vous êtes près de moi, vraie, spontanée, bien vivante, sans arrière-pensées, faisant de votre vie une offrande à l'amour ! Ma belle jeune fille que je veux voir avec son visage où le cœur déborde des yeux, dont l'âme semble avoir été créée pour donner et recevoir le maximum de l'existence, et semer, à pleines poignées, la tendresse dans le cœur des gens.

Voilà pourquoi je vous aime, pourquoi je pense que vous êtes, pour tous, un don merveilleux de la vie et que la grâce de ce don anime et éclaire mon âme tout entière.

Ce soir, laissez-moi vous prendre contre moi, vous enlever vos déceptions, vos inquiétudes, laissez mon corps réchauffer le vôtre de toute sa tendresse, apporter le calme dans votre esprit et la paix dans votre cœur... Dites ! Vous voulez bien ? Je veux veiller votre nuit, effacer la peine que j'ai pu vous faire, en discernant trop mal votre véritable tendresse.

Oh ! je t'aime ! Écris vite, Amour !

J'ai reçu ce matin votre lettre de samedi. Ça m'a lavé la tête de toutes ses idées fausses (celles qui me sont venues de votre coup de fil). Suis-je donc bête et injuste de vous prêter des pensées aussi mesquines.

Vous vous inquiétez de mon moral, de ma santé, et j'ose penser que vous aviez éprouvé de la jalousie ! Oh ma flamme, s'il vous plaît, oubliez dans ma lettre d'hier ce qui pourrait vous y blesser injustement !

C'est l'inquiétude de vous voir vous tromper sur mon comportement qui m'a fait réagir égoïstement. C'est moi qui suis méchant d'avoir fait la sourde oreille, mais les gars qui m'entouraient au poste de garde m'empêchaient de me livrer à vous, de dire les paroles de tendresse qui auraient éclairci nos pensées.

Vos coups de téléphone sont un supplice... Savez-vous ce que c'est que d'être entouré de quatre ou cinq hommes avides de vos secrets, qui vous chargent de regards troubles et sans pudeur, réagissent par des rires étouffés à vos paroles d'amour ?

Exactement comme à cette sortie de cinéma, à Rastatt, où vous m'avez pris le bras en me pressant de nous éloigner, où tous ces regards d'hommes vous détaillaient, comme on le fait d'une tête de bétail! Comprenez, alors, la difficulté que j'ai à vous «suivre»... sauf lorsqu'on me laisse seul (ce qui est extrêmement rare). Cela s'est pourtant produit une fois: le premier jour de l'année, et cette délicatesse des copains m'a marqué le cœur. Quelle tristesse lorsque je vous quitte sans avoir rien pu dire qui puisse vous rassurer. Je ne peux pourtant pas «étaler» aux oreilles de tous nos sentiments, ce serait faire preuve de mépris, d'impudeur!

Je cache vos photos comme je me cache pour lire vos lettres. Ici, chacun discute de sa femme comme on le ferait d'une propriété, d'un bien acquis! Personne n'imagine vraiment ce que vous êtes pour moi (sauf Picaud). Mais on ne me pose jamais de questions, parce que chacun sait que je vous suis fidèle et ils respectent la discrétion de mon amour. Vous êtes mon secret...

Amour, oubliez ce que je me suis permis de penser, ce n'est pas le vrai langage de mon cœur. Je me suis enfermé dans des idées, et les idées qui ne viennent pas du cœur sont sèches, sans fondement. S'il m'arrive d'être inquiet, c'est par peur que de telles méprises vous éloignent de moi, vous fassent souffrir inutilement.

Écouté, hier soir à la radio suisse, une émission-reportage très intéressante, sur le problème algérien.

Les «intéressés»: d'un côté, des membres de l'O.A.S. (Organisation de l'armée secrète), de l'autre, des chefs et des maquisards du F.L.N. (Front de libération nationale).

Côté O.A.S.: craintes, explications camouflées de la violence, menaces, dépit. Seules préoccupations: les intérêts économiques et politiques de la France (le fric, le pouvoir), rejet total des aspira-

116

tions du peuple algérien à l'indépendance, considérée comme une « anomalie », une « trahison » à l'égard de la « Mère Patrie »...

Ensuite, ceux du F.L.N. ont pris la parole : dirigeants, combattants, résistants, intellectuels, qui feront l'Algérie libre de demain. Peu de place à la haine, dans leur discours. Ils ne redoutent pas l'O.A.S., mouvement extrémiste qui ne fait qu'accélérer le processus de mobilisation du peuple algérien contre le colonialisme. C'est dans les racines, la culture, les révoltes et la résistance de son peuple que la révolution algérienne puise sa force et sa légitimité. Avec ses partisans, ses combattants, prêts à verser leur sang, à sacrifier leur vie pour elle, elle ne peut que triompher de tous les obstacles. « Ils » ont la foi, la confiance et l'espoir de tout un peuple, pour les soutenir et les encourager jusqu'à la victoire.

Leur parole était claire et sans haine. Pourquoi d'ailleurs en auraient-ils ? Leur combat est juste : il rend l'honneur, la liberté, le rire au peuple algérien.

Quelle joie et quel espoir cela m'a donné d'entendre ainsi parler de Paix et de Liberté.

Mon âme jolie, aujourd'hui le ciel est si clair. Il y a un grand soleil qui me regarde et me réchauffe le cœur. C'est comme si vous me regardiez.

Je vous sens très fort près de moi
                    et nous nous aimons.

Mardi midi, 27 février 1962.

« Peut-être faites-vous partie des caprices que je me passe ? »

Ah oui ! Cette phrase ressemble étrangement à la gifle que vous m'aviez donnée un jour, celle qui faillit me donner envie de ne plus vous revoir. Pipouche ! Si la jalousie provoque en vous un tel mépris, une telle dureté, alors non ! je ne crois pas qu'il soit « formidable » d'être jaloux.

La jalousie n'est pas une preuve d'amour, ni d'attachement ; c'est de l'égoïsme, de la mesquinerie à l'état pur. Vous devez lutter contre ce sentiment, il est indigne des amants. C'est un jeu puéril et malsain, tout juste bon à alimenter les querelles de « ménage »...

Ce sont souvent les êtres les plus jaloux qui, à la première occasion, trahissent la confiance de ceux qui les aiment. Leur caractère orgueilleux et possessif s'accommode fort bien, par ailleurs, des libertés et des écarts de conduite qu'ils reprochent aux autres (sans doute par peur de se voir démasqués). Je le sais d'autant mieux que je me suis longtemps comporté ainsi (vous en savez sans doute plus long que moi sur mon égoïsme) !

Je ne m'estime aucunement prisonnier de nos sentiments. Le jour où je me sentirai une quelconque obligation à votre égard, c'est que je ne vous aimerai plus.

Je ne considère pas comme un « caprice » le fait de nous voir et de nous aimer. Le désir et la joie d'être ensemble, qu'est-ce que c'est ? Sinon l'Amour ?

Je pense que nous sommes allés librement l'un vers l'autre. (Deux années d'amour, ça me paraît bien grand pour être nommé « caprice »... Vous ne trouvez pas ?)

J'ai attendu d'être plus calme. Les mots sont redevenus la pensée qui les a écrits, et cette pensée vient de l'amour...

Ainsi, je vous comprends, et cela je vous l'ai dit hier, avant même d'avoir reçu votre lettre. Je veux t'embrasser, très fort et très tendrement, de n'avoir pas envoyé cette lettre de samedi soir sans y joindre ces trois autres pages d'hier, qui effacent toute peine, me rendent le sourire de l'amour et ma confiance en la vie.

Mardi soir, 27 février 1962.

Voilà... je suis devant cette feuille, avec toutes ces choses à vous dire, avec l'envie d'être avant tout précis, constructif.

Il faut tout reprendre — chaque sujet — c'est difficile d'expliquer avec des mots : on ne trouve jamais celui qu'il faut exactement... j'essaie... votre intuition fera le reste.

Pour la guitare... quand je dis que le travail, dans cette caserne, est difficile et parfois même impossible, je n'exagère pas.

Les moments où on me laisse seul sont extrêmement rares. Je fais rire, alors les copains me « recherchent », pour se confier, discuter, combler leur solitude. Pourrais-je, humainement, refuser d'être un divertissement à leur cafard, ne pas leur expliquer des problèmes qui les troublent et les laissent désemparés ? Imaginez une maison où quatre-vingt-dix individus se côtoient toutes les heures du jour et de la nuit !!! Cette solitude que je recherche tant (contrairement à ce que vous supposez) m'est presque impossible ! À moins de pouvoir « oublier » les autres.

Mon temps, je le partage avec tous. J'estime que c'est un devoir d'homme. Cette aventure humaine, il ne faut pas la rater, car c'est elle qui décidera pour beaucoup de ma musique, de mon amour, de ma formation vers une maturité. Regardez ce que la « coupure » du service m'a déjà apporté : cette barrière entre les souvenirs de jeunesse ratée et mon avenir confiant, plein de vie et d'espoir. Il est bon de développer sa pensée et ses sentiments au maximum afin de ne pas se tromper ensuite.

Je ne veux pas d'avenir incertain : « On n'attaque pas une pièce de théâtre sans l'avoir auparavant disséquée, étudiée, approfondie » (je prends votre propre pensée comme exemple).

Je ne veux pas attaquer ma vie sans être maître de ma pensée, sans avoir développé ma volonté, sans avoir reçu.

Lorsque j'aurai à faire mon premier geste d'homme libre, il ne faut pas qu'il soit inutile et sans but. Je sais ce qui m'attend et par qui je suis attendu.

L'important, dans un lieu où il est impossible de se réaliser matériellement, c'est d'abord de penser juste. Le travail ne me fait pas peur, ce que je crains c'est de me tromper.

La musique, comme tout art, vient de l'âme, du cœur, et dc l'esprit. C'est de là qu'il me faudra d'abord partir, si je m'estime capable de la comprendre, de la servir et de l'aimer aussi fort qu'elle le mérite.

Cela est-il clair, amour ?

Quand viendra la « quille », j'aurai le temps que je déciderai, il n'y aura pas de « fanfare » m'écrasant les oreilles de marches militaires à longueur de journée, pas de sergent qui viendra me relancer toutes les cinq minutes pour un oui ou un non !!! Croyez-vous sincèrement qu'on puisse faire un travail constructif au milieu de ce vacarme, menacé de « consigne », si on vous trouve planqué dans une piaule, par un type qui

vous rappelle que «vous êtes là pour rendre service à l'Armée et rien d'autre»! Dérangé sans
cesse (c'est bien petit, un bâtiment comme le
nôtre, pour quatre-vingt-dix «gus» qui n'arrêtent
pas d'y traîner leur désœuvrement) pour aucune
autre raison que celle de vous éviter de «penser
en rond».

Comprenez-vous mieux, maintenant, ce que
j'entends par « impossibilité des casernes »;
que cela ne dépend absolument pas de ma
«volonté»...

Je vous souhaite seize mois d'armée pour bien
vous rendre compte qu'ici «on» décide pour vous
et que vous n'avez le droit que de vous tenir à
carreau et fermer votre gueule!

Mercredi matin, 28 février 1962.

Un soleil pâle, timide et froid. Il y a « revue » ce matin. Je me suis échappé dans une piaule pour être seul avec vous enfermé à « double tour ».

Pipouche chérie, je ne crois pas au mot « caprice » en ce qui vous concerne et voyez comme la vie est drôle : c'est une vieille grand-mère russe qui m'a donné l'explication de vos rapides changements d'humeur. J'ai commencé *Ma Vie d'enfant* de Gorki et j'y ai trouvé le personnage d'une grand-mère (pardon...!!!) qui rit, qui pleure, qui est volubile ou muette d'un instant à l'autre, qui raconte des histoires très jolies que tout le monde écoute. Cette femme, dans sa jeunesse, a dû s'appeler Pipouche, tellement on la sent gentille, émue, au bord du rire ou des larmes devant la beauté.

Et cela c'est vous, c'est votre sensibilité à fleur de cœur, qui vous fait prendre ombrage de la moindre peine et sourire à la moindre tendresse. Quand vous laissez la bride à votre âme, vous êtes cet être libre, généreux, qui se laisse porter vers tous les attraits de la vie. Toutes les images vous touchent et provoquent une réaction immédiate, spontanée, presque incontrôlable. Les enfants ont l'âme que vous avez : ils s'étonnent, ils saisissent les choses et les êtres sans refréner

123

leurs envies. Oh! petite flamme chérie, ne contrez jamais cette pureté qui est en vous. La liberté, c'est ce qu'il y a de plus beau dans les gestes et les mots d'un être humain. Que j'ai été idiot d'employer le mot « caprice » : les « caprices » c'est bon pour les riches, les égoïstes, les inconscients qui jouent avec les sentiments et les vérités. Celles et ceux qui aiment, qui souffrent, qui luttent, n'ont ni le temps ni l'envie de s'amuser à cela.

Voilà! fini pour ce chapitre. Je n'aime pas rester sur une erreur en pensant à vous (ni que vous m'imaginiez vous voyant à travers un voile un peu flou).

J'attends impatiemment le courrier... mon intuition me fait espérer une lettre. Mon Dieu! pourvu que je ne sois pas déçu de mon attente. J'aime tant le moment de vous lire, d'embrasser vos chères lettres, de recevoir ce *vous* à travers vos mots. J'en ai plein les poches, de vos lettres, et dans la journée, j'en sors une, la lis, la relis. Parfois je cours vers vos photos parce qu'une phrase ou un mot m'a inquiété; je vous regarde longuement et ça me rassure.

La nuit, je m'endors avec vos objets, vos lettres, votre parfum contre moi... Et lorsque je les embrasse, c'est avec la même tendresse que pour vous. Jalouse... ?

Surtout pas! car c'est à toi que vont mes baisers. Les objets ne sont que les témoins dont se nourrissent mes pensées quand le désir est trop fort.

Jeudi matin, 1ᵉʳ mars 1962.

Ma douce petite âme,

Décidément, mes stylos ne veulent pas que l'on vous écrive. À peine commencé cette lettre qu'ils me font mille lâchetés jusqu'à me laisser en plan !

Je vous envoie un disque sans savoir s'il vous plaira. Je n'ai, hélas, pu l'écouter dans les conditions voulues (un surplus canadien où il y avait beaucoup de bruit). J'en avais repéré un autre, de Miles Davis, mais il m'est passé sous le nez. Sachez cependant que Bill Evans est l'arrangeur de Miles (l'un des arrangeurs-compositeurs les plus doués du jazz avant-garde), de plus un excellent pianiste. Vous l'aviez d'ailleurs remarqué dans le disque de Miles, *Kind of blues,* que nous avions acheté à Saint-Nazaire. C'est un bel exemple d'artiste et d'homme, secret et hypersensible. Il a gardé longtemps des « partitions dans ses tiroirs » et ne semble guère rechercher le succès ou une célébrité quelconque ; seul un travail qui le laisse parfois enfermé, isolé avec son piano durant plusieurs jours, dormant et mangeant à peine. C'est sûrement cette sensibilité et cette conscience sincère et discrète qui lui ont valu le respect et l'amitié d'un M. Davis, d'un Charlie Parker, d'un Thelonius Monk, sans compter les autres « vrais ».

Si vous en avez l'occasion écoutez les *Double-six* : c'est le meilleur ensemble vocal de jazz européen. Ce qu'ils font dans leur domaine est très avancé et solidement « arrangé ».

On m'appelait... Je viens de vous « abandonner » une heure et l'on m'a remis entre-temps trois lettres (oh ! ma joie ! hier m'avait rendu si mélancolique) dont une, si « imposante », qu'elle m'a rendu perplexe, avant d'être enfin ouverte. Mon Dieu, que de choses ! Pour bien faire, il faudrait répondre à tout point par point. Cette lettre va me donner bien du fil à retordre. Aussi une seule ne suffira pas.

Minou chéri, la « soupe est sonnée », permettez que j'aille manger, sans ça je vais mourir d'inanition et je ne pourrai plus vous envoyez de messages ! À tout de suite, Amour !

Fausse alerte ! la soupe est reculée d'une demi-heure (tant pis ! Je ne mourrai, peut-être, quand même pas...).

J'ai vite repris mon bloc pour calmer au moins ma faim de vous écrire. Un officier m'appelle, il faut que je vous quitte.

JE T'AIME

Mardi 6 mars 1962.

DEPUIS deux ans, il s'est fait un changement incroyable en vous.

Je vous ai connue avec de grandes crises de désespoir, écrasée par le raisonnement des gens «raisonnables».

Maintenant, je vois vos yeux rieurs, votre corps débordant de vie, de joie, de jeunesse, avec toujours de la gravité ou de la sagesse, mais soustendue par un grand rire plein d'espoir et de confiance. Je vous regarde vivre comme si vous renaissiez, comme si vous commenciez une nouvelle vie, et c'est cela qui est important. Vous étiez amère parfois, vous doutiez de tout, vous disiez même que «la vie est con»!

Aujourd'hui, vous respirez le bonheur, vous partagez mon exubérance. Parfois, je vous trouve si adorable, si étourdie, si drôle dans vos réflexions ou vos gestes que j'ai l'impression de me balader avec un bon diable de petite sœur! On vous mettrait des nattes, de grosses chaussettes, des taches de rousseur sur le nez, une jupe plissée au-dessus des genoux et on vous enverrait à l'école accrocher des casseroles à la queue des chiens ou des poissons d'avril dans le dos des proviseurs! (Ah! ah! ah! ne soyez pas fâchée, je trouve ça formidable de vous voir si «emballée» et « rieuse », comme un enfant en pleine crise de « farces ».) Il y a en vous du « Crolla » qui dort d'un œil et que le moindre prétexte fait bondir de joie malicieuse. Ne croyez surtout pas que je vous fais plus petite ou grande que vous n'êtes ; moi, je vous vois comme je vous vois ! comme je vous aime, et l'amour vous fait devenir ce que vous êtes vraiment : une « sacrée » petite bonne femme, pleine d'amour et de tendresse, chez qui la « tête » passe d'abord par le cœur. Cela vous fait-il de la peine d'être ainsi ?? Je ne peux pourtant pas vous dire que vous êtes laide, vieille, bête et méchante, à seule fin de vous faire plaisir !

Henrico était généreux, il aimait jouer pour les autres, donner sa musique à tous. Il m'a fait un cadeau si merveilleux : parce qu'avec la guitare qu'il m'a offerte, il m'a donné aussi sa confiance, sa tendresse, son humour et toute sa musique pour qu'elle m'aide à aller encore plus loin, toujours de plus en plus loin. Souvent je pense qu'il ne sera pas gaspillé, son cadeau et, dans ces moments-là, il me vient un grand élan d'espoir qui me fait chaud au cœur (c'est peut-être un rayon de son soleil).

Chérie, vous m'avez demandé pour les permes. Ce soir, je suis trop bien avec vous pour parler d'autre chose que la joie.

J'ai sommeil, je vais m'allonger. Amour, mon tendre amour, venez là tout contre moi.

Je vais vous aimer toute la nuit.

Rastatt, mercredi 7 mars 1962.

JE n'ai jamais été si heureux ni confiant qu'aujourd'hui. Chaque jour est un printemps; car chaque jour, une lettre de Pipouche. Avant, je ne pouvais comprendre qu'on puisse s'écrire quotidiennement sans que cela devienne banal, sans que les lettres prennent un ton insipide et coutumier. À présent, dans chacune, je trouve mille choses à vous dire et elle me paraît toujours trop courte ou trop incomplète. Je me rappelle ce petit copain (aux yeux bleus et dents blanches !) qui ne pouvait laisser passer une journée sans consacrer au moins une heure à sa femme et qu'aucune distraction ne pouvait arracher à sa lettre. Comme je comprends, maintenant, et trouve belle sa fidélité à son amour.

Les jours où je ne vous écris pas, c'est comme si je vous laissais dans la peine, dans l'oubli, comme si je vous avais abandonnée, et j'en éprouve du chagrin. Si votre joie est aussi grande à recevoir mes lettres que la mienne, au matin, devant les longues enveloppes blanches, alors c'est quelque chose de bon et de chaleureux pour le cœur.

Il fait BEAU ! mais beau ! Et l'air, avec une si bonne odeur de terre. Est-ce que ce ne serait pas bientôt déjà le printemps ?

Je vais me balader cet après-midi; vous venez avec moi, dites? — Non? — Eh bien, allez au diable, vilaine petite femme! Je sortirai tout seul avec mes «copains de régiment»... Mais ne me demandez plus jamais rien, vous iriez au-devant d'un refus. Aaahh! vous changez d'avis! Vous venez? Trop tard!

Ce serait trop facile! On veut, et puis on ne veut plus, et puis on reveut...

Hein? Comment! Ah! ben évidemment si vous me faites plein de choses, plein de «mamours» et de câlins, comment voulez-vous que je refuse?... On sait par où tenir son amant...! C'est bon, je vous emmène, mais à une seule condition: que vous reveniez à chaque fois que je vous le demanderai! Je ne sais pas moi... Par exemple vendredi 9 mars, ou samedi midi jusqu'à dimanche soir! (Ah! Ah! Ah! bien embêtée hein?)

Comment, vous ne pouvez pas? Aaah d'accord... on a rendez-vous avec M. Godard!!! Très bien! je vous abandonnerai donc aujourd'hui et m'en irai tout seul dans ma campagne ensoleillée... et ne penserai,

je l'avoue,

plus du tout

à...

VOUS.

Mon adorable Pipouche

Eh bien, je ne suis pas sorti, malgré le beau temps. J'avais un sommeil incroyable qui m'a fait dormir toute la journée. Ça devait être un sommeil très justifié car il était habité de beaux rêves. Il y faisait un soleil splendide, j'étais avec vous dans une grande campagne illuminée, on s'aimait, il faisait doux, c'était comme dans un tableau de Chagall.

Oh! à quand la Provence, à quand le soleil et la mer, la terre sèche et rouge qui met le feu aux oliviers et fait chanter les cigales, en été; à quand les odeurs âcres-douces, le bruissement familier des insectes dans la nuit provençale, la musique rythmée des vagues et le goût du sel sur la peau qu'on lèche! À quand les corps étendus, languissants, qui appellent la caresse du soleil et des mains, les corps cuivrés et nus dans la lumière sensuelle de l'été; la pâleur tendre des plages, le soir, l'eau douce comme un baiser, qui enlace les membres de sa voluptueuse caresse.

Se glisser hors du fourreau ruisselant de la mer pour s'offrir, sous la clarté de la lune, aux étreintes amoureuses de celle qu'on désire, à la

131

douceur délicieuse et complice du sable. Oh ! vous verrez alors comme ce vertige d'aimer vous entraîne dans la spirale infinie du plaisir, le feu de la passion qui vous consume avec rage, vous plonge avec délices dans le gouffre de la jouissance et vous laisse anéanti, gorgé d'amour, tremblant de fièvre et de reconnaissance. Vous verrez ce que c'est d'avoir le ciel constellé d'étoiles pour plafond et pour fenêtres l'espace, de sentir la force incommensurable de la terre soulever vos membres, de contempler à travers le visage de l'être aimé celui d'un Dieu vivant et, comme une révélation foudroyante, le sentiment d'avoir ouvert les yeux sur le secret du miracle de la vie, de sentir couler en nous la sève qui alimente toutes formes d'existence, de comprendre, enfin, la générosité sans limites de la nature, qui offre à notre sensualité gourmande les parfums, les fruits, les émotions les plus subtils et les plus savoureux de sa création et qui, après avoir assouvi nos désirs les plus profonds, veille encore sur l'amoureux repos de nos corps enlacés.

Au matin, quand le soleil, de ses tendres rayons indiscrets, viendra doucement nous arracher à nos rêves, je te découvrirai nue, lovée dans la chaleur de notre amour, rayonnante de beauté entre les draps de sable fin et de lumière. Je te regarderai comme je t'ai regardée à l'aube de notre première nuit d'amour et dans mon regard il y aura tant de choses, toutes les émotions, les joies, les peines de ces deux longues années de contraintes, de victoires et de défaites partagées, mais aussi le sourire de l'avenir, aussi clair et vibrant que les premières lueurs d'un beau jour d'été.

Je t'aime.

Lundi 12 mars 1962.

Mᴀ Pipouche,

J'ai reçu une lettre formidable de Pico. Quelle tendresse... on le sent plein de cette lumière du sable, de la couleur violente des robes sous le soleil... la vie qui explose comme un être qui vient au jour. J'ai tellement confiance en son amitié. Je sais que nous travaillerons ensemble et ça me fout un grand coup d'espoir et de courage.

La quille approche. Je ronge mon frein. Dans les casernes, on ne vit pas. On se prépare, on s'exerce, on observe comme un boxeur avant son grand combat. Il faudra se réadapter au monde civil, oublier progressivement les «réflexes» de caserne.

Aurez-vous la patience d'attendre? Votre lutte est déjà si ardue et Paris rend encore plus décourageante la solitude! Ce monde fermé qui ne prend jamais le temps de comprendre, sec et sans tolérance; cette cité de «débrouillards» et d'arrivistes à l'affût du gain et du «nom en gros» sur l'affiche; pas d'équipe, chacun pour soi! à celui qui bouffera l'autre. Pas le temps de vivre, ni de s'arrêter à la tendresse, l'amitié «entre deux coups de téléphone».

Bien sûr, ça n'est pas un critère pour les gens vrais. Mais le spectacle de cette médiocrité dégoûte parfois jusqu'à vous faire douter de l'espoir, jusqu'à tuer le rire, jusqu'à vous arracher l'amour et la jeunesse du cœur au point de vous aigrir. Il faut partir souvent des villes, sans ça elles risquent de vous étouffer. Comment peut-on prétendre vivre si l'on ne connaît du monde que ce qu'en disent les journaux ou la télé ?...

Il paraît que le cessez-le-feu est pour dans deux jours ? Mon Dieu, si cela pouvait être définitivement vrai.

Ma petite flamme, il faut que je vous quitte : il est deux heures et le vaguemestre est peut-être en train de partir ; vous n'auriez alors de mes nouvelles que dans deux jours (je suis déjà si impardonnable).

J'ai vu mon pote le pianiste : bientôt ma chanson sur du papier. J'en ai d'autres dans la tête. Il faut que je demande à ma guitare, elle ne me refusera pas sa musique ou alors, gare à elle !!! Je la brûlerai vive jusqu'à la dernière corde. Encore faudrait-il que j'en aie le courage ; c'est qu'elle me tient bougrement au cœur, la garce !

Minou, je ne sais si je peux venir avant au moins un mois. Ça m'étonnerait que je puisse poser une perme avant les dix jours A.F.N. Je vais tout de même essayer.

Tout s'embrouille, j'ai impression de ne vous avoir parlé que de moi dans cette lettre. Lisez en travers des mots.

Plein de tendresses pour vous.

Mercredi 14 mars 1962.

MA Pipouche, quel grand soleil il y a dehors! On ne va plus me voir souvent à la caserne. Il fait si bon, l'air recommence à avoir ses odeurs de terre, d'herbes et de pins. Et, au milieu de cette fête, votre lettre de ce matin. Vous luttez! donc, vous croyez à nous. Oh! petite âme, gardez ce courage, cette volonté d'agir, il n'y a que comme cela que vous trouverez cette force de vivre.

Quand je pense à toi, il me vient au cœur une émotion que je n'avais jamais ressentie jusqu'à présent, une sorte d'apaisement, d'espoir solide, rien ne me paraît plus impossible. Je sais que seuls le travail et la volonté d'aboutir mènent à ce qui semble parfois irréalisable (mis à part, bien sûr, l'amour, qui décide de tout).

Il y a une chose qui m'a beaucoup frappé durant ma perme, et que je ne réalise seulement que maintenant: votre travail de danse chez «Jim» Robinson; là, j'ai compris le degré d'acharnement, la volonté qui vous animent lorsque vous souhaitez une chose, qui animent tous vos actes et toutes vos pensées. Mon âme chérie, j'avais besoin de sentir votre envie de vivre avec moi. Ces derniers temps, votre incertitude me déroutait terriblement. J'en arrivais à des hypothèses, complètement faussées, auxquelles je finissais par croire et qui m'empêchaient de bien vous comprendre. Aujourd'hui, j'ai un grand espoir dans le cœur, un espoir calme et fort, qui me donne le désir d'agir et de me battre pour vous, au nom de notre amour, pour vous voir heureuse, pour votre rire.

Non, chérie, je n'ai pas le cafard de partir, je sais que cela peut être bon pour l'espoir et la force de notre amour.

Et puis là-bas, il y a le soleil, la chaleur de l'été algérien ; la mer, les visages des gens qui ont souffert et regardent maintenant la Paix et la Liberté presque en face. Je veux voir cela, être le témoin de ce qui se passe de beau et de juste dans le monde, mais aussi d'injuste et de lâche.

Ma flamme, continuez à lutter, gardez bien précieusement votre courage, écartez de vous le « doute » des gens. Ils ne savent pas ce qui se passe dans votre cœur, ils vous regardent trop avec les yeux de la « raison ». Si nous gardons confiance, nous réussirons, malgré les épreuves, surtout à cause des épreuves. Un amour n'est rien s'il n'exerce ses forces, s'il reste là, comme vous dites, « à se contempler le nombril » !

Le pianiste m'a parlé de vous, à la garde, hier soir. Il ne vous connaissait que par ouï-dire. Après vous avoir vue (si peu), il m'a confié qu'il vous trouvait beaucoup de volonté, beaucoup de joie dans le visage. Il a ajouté : « Avec elle, pas de problème ! Elle est forte. Elle accompagne les gens au train comme ils doivent être accompagnés : sans faiblesse et dans le rire. »

Comme je t'AIME

TENDRE petite flamme

Voilà deux jours que j'attends, chaque midi et chaque soir, un coup de téléphone, une lettre — même froide — mais qui explique... Je pars à une heure cet après-midi; est-ce que je ne saurai donc rien jusqu'à lundi? Est-ce que je vais me traîner avec cette angoisse de votre silence? Oh! si vous pouviez — juste un mot — quelque chose qui me dise que vous m'aimez. Ce: «incapable de vous écrire» de votre télégramme, qui me déroute, qui m'inquiète terriblement à votre sujet, de votre état... Oh! si je pouvais être là, vous prendre contre moi, pouvoir vous parler d'espoir, vous faire rire, même avec des bêtises... Mais là! assis devant cette feuille, impuissant, comme celui qui pense «je ne peux rien». Il me prend une rage sourde de n'être pas à ma place: *avec vous*. Là, seulement, j'ai le sentiment que la vie a un sens profond et vrai; dans vos yeux brillants, dans votre sourire ou votre peine, devant le magnéto-phone, nos chansons qui prennent vie à travers votre sensibilité, cette voix grave que j'aime, qui me trouble, ce premier travail en commun qui est une promesse de NOUS. Hier, j'ai vu le pianiste: tout est écrit, sauf ce couplet qui me «choque» toujours et que nous attaquons ce matin. Mais les harmonies et le rythme en sont plus faciles (c'est la forme qui me gêne).

Je vais vous écrire *Le Cœur des adolescents* en rentrant lundi. J'ai revu aussi *La Fête aux ouvriers*. Je crois que je tiens la mélodie. Je l'ai fait écouter aux copains, tous en ont été touchés. J'aime cette chanson, elle est vraie, elle a un beau sourire amoureux et volontaire.

Le pianiste trouve les harmonies de *C'est pour toi* assez originales, d'ailleurs tu verras... cette chanson paraît le toucher beaucoup, il montre de la conscience à l'écrire au plus juste. Elle a été difficile à transposer au piano. La guitare étant un instrument plus étendu, plus capricieux, il n'a pas été si simple de faire « passer » certains intervalles.

Quelle joie j'ai éprouvée, quelle émotion! Notre musique! notre chanson! Là, sur le papier. J'ai eu envie de votre présence, tout de suite, vous serrer fort sur mon cœur! Cela me donne le désir d'autres musiques, vous entendre les chanter, les interpréter, que vous ne chantiez rien d'autre que nos chansons.

Amoureux de tout votre être, je saurai écrire pour vous comme nul autre ne pourra le faire. Il n'y a que vous qui puissiez chanter avec tout votre amour, votre grand soleil d'amour qui bouleverse tout! Aujourd'hui, il y a une belle lumière qui caresse la neige; comme un clin d'œil du printemps.

À la radio, on a annoncé qu'en cas de cessez-le-feu ma classe serait libérée à vingt-quatre mois. Vous vous rendez compte? Le 1er novembre, si les circonstances le permettent, je pourrai être auprès de vous!

Maïa Slatkaïa

LA VIE EST FORMIDABLE

Constance, jeudi 15 mars 1962.

Voilà! c'est ça l'Allemagne sans Pipouche.

J'ai attendu désespérément jusqu'à deux heures, assis à côté du téléphone... Et puis on est venu me chercher. Maintenant, je ne saurai rien de vous jusqu'à lundi soir, six heures !

Oh! Pipouche chérie, j'aurais tant voulu un mot, un mot seulement, pour ne pas me laisser dans cette terrible inquiétude de vous.

Petite femme.

Ô mon âme chérie, gardez-moi longtemps —

Je t'AIME

Constance, samedi matin 17 mars 1962.

On a joué deux fois ici et on repart tout à l'heure à Donaueschingen. Constance, très jolie salle et scène, l'après-midi : scolaire, public très chouette, très ouvert. J'attends... J'attends lundi. Est-ce qu'il y aura une lettre ?... Un télégramme ?... Où êtes-vous ? Comment êtes-vous ? Toujours les mêmes questions à tout instant. J'essaye de ne pas y penser. Cette tournée me met les nerfs à vif. J'ai tellement besoin de vous lire ou de vous entendre, de savoir !

En ce moment vous êtes comme jamais au fond de moi, chaque geste, chaque mot me ramène à vous. Une intonation d'un copain, une musique, un ciel, l'eau, le rôle. Je regarde dans la salle, je vous cherche. Il y a des fois je voudrais parler de vous, me libérer du poids de mon inquiétude, mais à qui ? Pico est au Sahara, Denise à Rennes. Les autres, ils ne « savent » pas assez, ils sont dans leur sphère, ils saliraient tout. Et puis, ce serait inutile et un peu lâche d'aller confier ses pensées à n'importe qui. Cela ne regarde que vous.

C'est énorme le nombre de choses que nous avons en commun, que nous partageons. Il ne se passe jamais plus de cinq minutes sans qu'un détail, un souvenir, une émotion, ne me rappelle des moments, des mots, des lieux, qui se rapportent à nous. Mais c'est peut-être parce que mes sens, mes pensées me portent à chercher notre amour dans tout ce que je ressens ou que je vois et entends. Vous faites à ce point partie de moi que vous ne pourriez plus, maintenant, me quitter, sans emporter avec vous la moitié du cœur, la moitié du sang, la moitié des poumons, la moitié de l'âme. Chérie, si aujourd'hui on me disait que je ne vous verrais plus à la fin de cette année, que ce serait fini à tout jamais, j'aurais le sentiment d'être un malade condamné à qui il ne reste qu'une année de vie. Je ne dis pas cela par faiblesse, mais la vie sans vous, sans votre chaleur, ça ne veut plus rien dire. Même les meilleurs amis, les plus généreux, ne sauraient remplir le vide que vous laisseriez.

Je ne sais pas vous dire très bien ce que vous êtes devenue pour moi, mais c'est comme le sang, la lumière du soleil de Provence, la couleur de la terre au printemps, le toucher d'une guitare d'Espagne, un visage qu'on regarde avec amour pour la première et la dernière fois, des mains d'homme qui protègent, le sourire noir éclatant d'un ouvrier, la tendresse sensuelle d'un enfant, le jaune du blé mûr sur le bleu lourd et pur d'un ciel d'été, l'odeur de la pluie dans les champs, la violence soudaine d'un orage dans un tourbillon fou de grêlons, d'éclairs et de roulements qui claquent, les sourires des amants éblouis de tendresse, de caresses et d'amour, un visage sur un corps atrophié par les tortures, qui rit de la victoire remportée sur ses bourreaux et de l'avenir de ses fils enfin libres, le visage d'un homme qui résiste aux tortures, les gestes et les mots de ceux qui s'aiment, qu'on avait séparés longtemps et qui retrouvent intact l'amour qu'ils se sont confié, qui ont enrichi cet amour de toute la force de leur solitude et de la volonté de leur patience. Quand je regarde toutes ces choses, c'est avec notre regard d'amants et d'amis. Je vous ai dit ce qui me venait à la tête, du cœur, mais il y a tant d'autres choses encore qui sont Vous, qu'il me faudrait une vie entière pour les énumérer. Quand je vous regarde, quand je vous serre contre moi, j'ai tellement le sentiment de presser le monde contre mon cœur, avec toutes ses joies et ses peines, ses solitudes, ses luttes, ses espoirs. Oh! mon âme chérie, ma petite Pipouche, ma femme adorable, ma jeunesse, mon amour pur, j'embrasse vos lèvres, vos cheveux d'été, vos yeux brillants, vos seins, votre ventre, vos hanches, vos cuisses, vos petits pieds adorables d'enfant, vos mains qui savent si amoureusement les caresses, vos bras tendres, vos aisselles, votre cou sensuel, animal, vos oreilles de chatte, votre «museau», la douceur de votre chair — plus que la soie — et dans la paume de vos mains, plein de baisers les plus purs, respectueux et tendres.

Oh! Ma flamme, est-ce que vous sentez combien je vous souhaite? tout ce qui vous appelle dans mon cœur et mon corps?

QUE FINISSE ENFIN CE CAUCHEMAR
DE VOTRE ABSENCE!
MA VIE, JE T'AIME

Ma Pipouche

AUJOURD'HUI VOTRE GRANDE LET-TRE.

Pardon! je ne peux écrire calmement. Je T'AIME! OH! Oui, comme il fallait écrire cette lettre. Mon âme, il fallait que je sache, que vous me disiez cet espoir qui brûle en vous, ce souhait profond de *nous deux*.

Quand je vous regarde, j'ai toujours envie de vous serrer dans mes bras, de vous embrasser, de vous faire rire! Vous ne savez la joie que j'éprouve à vous voir rire. Cela vous est si naturel, si spontané. Je ne veux pas qu'on vous enlève ce rire, et *on ne vous l'enlèvera pas*!

Quand nous pensons l'un à l'autre, ça éclate de lumière et de soleil dans le cœur. La vie c'est rouge, vert, bleu, jaune, orange. C'est plein de musiques par milliers, de petits soleils qui brûlent avec la même ferveur que le nôtre. Tu te rappelle *Les Raisins de la colère*: «Chaque homme est un petit morceau d'une grande âme commune.» Pour comprendre cela, il faut avoir le cœur bien pur.

Pour aimer un être, il ne suffit pas de penser qu'on l'aime, il faut pouvoir lui donner sa vie !

J'admire des gens comme les Pitoëff. Tous deux construisant ensemble, créant leur œuvre commune et partageant tout cet amour de la vie, par le théâtre, avec leurs enfants (cet esprit merveilleux qui règne aussi dans la grande famille du Cirque).

Ma douce âme, voyez, aujourd'hui le soleil est venu avec votre lettre qui m'a bouleversé. Il y aura un printemps, un été, et puis le début de l'automne nous verra réunis. Aujourd'hui, les copains font de la musique et rient à pleines dents : c'est la fête des Transmissions. Moi aussi j'ai de la musique plein le cœur et les yeux brillants...

Dans quelques jours je serai à Saint-Nazaire, avec vous, là où tout a commencé !

La vie se donne à qui se donne à elle.

VITE ! VITE VOUS VOIR
OH ! JE T'AIME

MA petite âme chérie

Je relis votre lettre. Je comprends ce que vous me dites, c'est terrible ! Pourquoi s'être ainsi attachés l'un à l'autre malgré tout ce qui s'y oppose ?

Je me promène en long et large de cette caserne, avec une grande angoisse et du désarroi dans le cœur.

Vous me demandez de la patience ! Oui... J'attendrai, aussi longtemps qu'il sera besoin. Je ne comprends plus rien à ma tristesse d'en ce moment. Nous sommes jeunes, nous nous aimons, il y a tant d'espoir (du moins il y en avait !) et soudainement tout est changé. Vous n'êtes plus sûre, vous hésitez ! Et je commence à penser que je ne compte plus pour vous, que vous me quittez sans oser me le dire, de peur de me faire trop mal. Parce que je n'ai peut-être seulement existé pour vous qu'en tant qu'individu à sauver de son égoïsme. À qui il fallait donner goût à la vie et, maintenant que le but semble atteint, qu'on détache de soi, comme on fait d'un enfant lorsqu'on pense qu'il est assez grand pour s'en sortir tout seul.

J'ai l'horrible sentiment de ne vous avoir rien apporté, de n'avoir été qu'une « passade ».

Oh! mon âme tendre, vous qui seule me connaissez, pardonnez cette lettre et sachez comprendre les sentiments qui m'animent. Il m'arrive aussi, parfois, de penser à des choses que je redoute, avec désespoir et crainte qu'elles puissent se réaliser.

Vous savez que je ne *peux pas vivre hors de vous*. Vous savez combien je vous aime et avec quelle force. Alors, quoi que vous fassiez, Petite Femme-Pipouche Amour, *ne me quittez pas*. Je resterai votre ami, s'il vous plaît, votre frère, je vous écrirai nos chansons.

Oh! petite flamme chérie, est-il possible, serait-il possible que nous ne puissions plus nous aimer?

Oh non! Tous ces moments de joie et de lumière, d'espoir, de tendresse, ces débordements de jeunesse et d'amour, pour RIEN!!! Dites-moi que cela est impossible. Ce serait nier l'amour, le réduire ignoblement. Lorsque je relis toutes vos lettres, l'une après l'autre, j'en reçois tant d'amour que cela me fait venir le sourire aux lèvres et il me monte alors une grande musique d'espoir dans l'âme.

Mon chéri, ma petite bonne femme adorable, je ne peux vous exclure de moi, même avec toute ma volonté, et si je le faisais, je n'aurais plus envie que de me supprimer.

Je me brise la tête contre les phrases. Si vous étiez là, tout serait plus facile, même sans parler. Mais, justement, peut-être que cela serait trop facile. Il n'y a que notre isolement qui puisse nous éclairer. Il ne faut plus se voir avant ma perme A.F.N. (si nous le pouvons).

Que c'est donc dur votre absence et que cela

fait mal. Il y a un dieu de l'amour qui nous a fait nous rencontrer, nous aimer de mille tendresses, découvrir le plus pur de l'amitié, les joies les plus secrètes de l'amour. Il ne permettra quand même pas que la vie nous sépare, nous empêche de vivre cet amour librement! (deux années de contraintes, de rendez-vous «entre permissions»...). Nous méritons d'être heureux au moins un été... un été qui pourrait durer une vie.

Je vous aime si tendrement.

Allemagne, vendredi 20 avril 1962.

DEPUIS deux jours, revues et défilés.

Partis jouer pour un «général» à Freiburg. Deux cents kilomètres en camion. Dehors, toute la journée, à défiler dans un froid glacial. Gueules de monte-en-grade solennels, onctueux, mondains et ridicules. Toute la médiocrité du monde.

Après, repas dans une caserne. Deux Marseillais, merveilleux, racontant des histoires du pays avec la saveur et la gentillesse expansive des Méridionaux, gueulant «la quille» à chaque fin de bon mot; et on repart, un peu ivres, en chantant à tue-tête dans les camions, faisant des gestes d'amitié aux gens qui nous sourient et aux enfants, qui répondent par des cris.

On quitte la ville. Je suis là, couché au fond de mon bahut.

Des images, des pensées... Vous tout le temps.

Pourquoi Vous? comment Vous, comment Nous? Tant de questions, quoi répondre?

Je vous ai connue, nous nous sommes parlé le premier soir, à Saint-Tropez, dans ce terrain près de la villa. Je vous ai embrassée à Saint-Nazaire. Pourquoi le destin nous rapproche, nous met l'un

148

en face de l'autre, nous fait céder aux charmes réciproques ?

Si j'avais été un homme, j'aurais dû tout faire, tout, pour empêcher les gestes, les mots ; au contraire, j'ai accepté, provoqué (ce premier baiser) et lorsque tout pouvait encore nous séparer, il se passait une chose inattendue, un cri du cœur qu'on ne savait pas retenir et qui nous jetait dans les bras l'un de l'autre. Quand bien même cet amour était fragile, au début, il nous empêchait de nous séparer suffisamment pour ne plus nous revoir ; et puis il s'est fait de plus en plus exigeant, il voulait des preuves, des gestes de tendresse pour nourrir son espoir, jusqu'à ce que l'espoir devienne une promesse de vie, avec un cœur battant, tremblant, qui commence à palpiter sous les rayons du soleil-amour.

Pourquoi être restés l'un contre l'autre ? Pourquoi avoir partagé ces doutes, ces joies, pourquoi l'espoir ? Pourquoi s'être dit des mots qui faisaient se gonfler le cœur de tendresse et qui nous laissent avec cet émoi, ce trouble du corps et de l'âme ?

Avant, n'importe quelle femme aurait suffi à me donner une réplique qui m'empêchât de penser à vous, mais maintenant que j'ai appris à vous aimer, j'ai exclu de mon cœur tout ce qui n'est pas vous, pour vous y faire une plus grande place.

Enfin une lettre ! ! !

Oh ! Minou, merci. Parfois j'ose penser que vous m'oubliez, comme c'est méchant de ma part.

Vous travaillez, je suis heureux, heureux de vous savoir vous dépenser dans l'énergie créatrice de votre art.

Minou, mon âme chérie, écoutez ! OFFICIEL :

pour ma classe, la QUILLE à vingt-quatre mois.
Fin octobre, je suis là !

Reçu, ce matin, une lettre de Tavano. Le
« pitaine » va aller voir son colonel et tâcher de
m'avoir une perme. Tu te rends compte, avec
vous à Saint-Nazaire ! Malheureusement, votre
Higelin il est pas beau avec ses cheveux à un
millimètre. Tant pis, vous fermerez les yeux et
vous écouterez. Oh ! petite, mon âme Pipouche, je
vous attends si fort. Quelles que soient les circonstances, je vous aime, je veux tout vous donner, je saurai vous faire rire.
IL NE FAUT PAS RENONCER À VOTRE
DÉSIR DE CRÉER, CELA SERAIT UN CRIME.
Je ne peux pas vous imaginer renonçant à la
musique, la danse, la chanson et le théâtre, cela
serait comme si vous renonciez à l'amour, au
désir de vivre. On n'a pas le droit de refuser l'Art.
Ceux qui ont la musique des couleurs, le rire et
les larmes dans le cœur, doivent les partager, les
offrir au monde.

Ma Pipouche, à quel point vous m'êtes proche,
la place que vous prenez dans moi. Vous pourriez
vous éloigner, me quitter, ne plus me donner de
nouvelles, cette place vous restera.

Crolla m'aimait, il m'a donné sa musique et
une guitare pour la jouer. Tout ce que je suis
appelé à faire, c'est pour NOUS que je le veux,
pas pour gagner de l'argent, vous donner du
confort, une situation, une voiture ! Ça, c'est
entretenir quelqu'un. (Ma Femme, Ma Voiture,
Ma Maison... où est le Nous là-dedans ?)

Nous deux, on s'est cherché, malgré la distance, malgré l'incompréhension ; on s'est vu
n'importe où, n'importe comment, par n'importe
quel moyen et toujours avec les yeux de
l'amour.

150

Vous êtes jeune, vous êtes Ma flamme, il faut brûler vite.

Oh! te voir, te regarder, t'aimer à Saint-Nazaire.

VIVE LA PAIX, VIVE LE RIRE, VIVE LA VIE

1ᵉʳ mai 1962.

Mᴀ Pipouche,

Tous ces jours sans votre présence... se dire que cela durera encore six mois et faire semblant de ne plus attendre tes lettres. Quand on annonce le courrier je m'enfonce la tête sous les couvertures ou je fais semblant de penser à autre chose... et je pense qu'à toi. Mais il faut se taire, car si je parle, il y a le cœur qui éclate et il ne faut pas. Il faut apprendre à rester silencieux, pour être plus fort, enfouir son amour dans le fond de soi. Toi aussi, amour, je sais que tu attends mes lettres — tout comme moi — et j'imagine qu'il est dur pour vous de savoir qu'on sera tout ce temps sans se voir, sans la lettre de chaque jour, sans savoir ce qui se passe dans la vie de chacun de nous deux. Oh! Minou, je vous aime, fort, fort, aussi fort que quand je t'ai serrée dans mes bras à la gare. Peut-être que vous avez senti maintenant combien c'était quelque chose de durable que je veux pour nous. Je ne sais pas ce que tu feras pendant ces six mois, mais j'irai vers toi de tout mon amour et si vous me désirez encore, à ce moment-là, vous n'aurez qu'un geste à faire, qu'un mot à dire pour me faire comprendre que vous avez attendu ou, simplement, si vous êtes à la gare le jour de mon arrivée.

Mon minou, il faut que je vous demande trois choses (c'est un prétexte qui va me permettre d'avoir une lettre de vous, si vous voulez bien répondre).

La première, c'est que ma bague est un peu trop étroite et le sang circule mal dans le doigt. En plus, avec la chaleur qu'il y a en Algérie, il va gonfler (le doigt!). Alors, est-ce qu'il faut changer de bague, ou bien est-ce qu'on peut la faire élargir?

La deuxième, c'est que je ne sais à quel moment il faut prendre les médicaments contre le « palu ». Si c'est maintenant (et quelle quantité par jour?) ou alors seulement sur le bateau?

La troisième, c'est une photo de vous : celle que je vous ai laissée, qui a été prise à Saint-Nazaire, sur la barque, en gros plan — *s'il vous plaît!*

Je vous ai laissé toutes mes lettres de vous et les photos, parce que si je les relisais ou les regardais maintenant, j'aurais trop mal. Je n'arrive déjà pas à admettre d'être séparé de vous si longtemps. Il n'y a que l'espoir de vivre pour vous ce temps qui me reste, qui m'empêche d'avoir trop le cafard de votre absence.

Ma petite femme chérie, pardonnez ma lettre décousue. Je ne sais pas bien vous dire ce que j'ai sur la patate. Il y a deux copains qui jouent de l'harmonica et ça me remue, en dedans.

J'ai froid... mon corps voudrait votre corps, lui aussi, et il faut le faire taire, l'oublier.

Mais pourquoi te dire... tu comprends tout — tu lis avec ton cœur.

Oh! ma vie, écoute bien fort : *JE T'AIME*

Samedi 5 mai 1962.

Eh bien vous n'aurez pas à appréhender ma lettre! Je pensais exactement comme vous, mais je n'osais m'exprimer de peur que vous preniez ma pensée pour de la faiblesse.

Pendant ces jours passés en Bretagne, vous m'avez dit vous être trompée sur le sens de mon courrier et que mes mots vous avaient fait espérer plus que ce qu'ils contenaient. Il faut excuser cela, c'est un défaut de musicien. Dans les mots il y a le rythme; dans les phrases, le mouvement, la mélodie. Et parfois je me laisse aller à ce mouvement, à cette euphorie d'écrire. C'est pourquoi beaucoup de mes lettres étaient folles et d'un lyrisme trop exalté; cela m'empêchait souvent de bien peser le fond précis de chaque parole. C'était comme si je vous avais envoyé un peu de ma guitare. Je n'arrivais pas à bien «raisonner»; cela venait comme un flot de tendresse, d'enthousiasme qui me submergeait. Ce n'étaient plus des mots «écrits», c'était la *musique de l'amour*. Les gens qui ne jouent pas d'un instrument (surtout aussi sensible et sensuel que la guitare) ne peuvent comprendre qu'on écrive de semblable façon. On ne peut sans doute pas demander à un écrivain de s'exprimer mieux par la musique où la peinture (encore que!) ou à un musicien d'avoir la complète maîtrise des mots qu'il emploie.

Personnellement, je connais (ou plutôt je «sens») mieux la valeur d'un son que celle d'un mot écrit.

Minou, je m'excuse de cette explication, mais je sais que vous comprenez: vous êtes faite de la même matière. Vous ouvrez les bras avant même de prononcer un mot et, quand vous parlez, les mots deviennent rythme et mélodie. Votre corps, c'est la danse, votre voix, la musique et c'est là votre véritable nature. Vous n'êtes pas de ces êtres qui vivent en appartement (peut-on appeler cela vivre?!!!). Votre espace vital, votre théâtre de vie, c'est la rue, la ville tout entière, l'étendue des plaines, des sables, des collines, de la mer, partout où l'horizon marie la terre au ciel et le regard à l'infini. Certains ont besoin d'un «cadre» à l'échelle humaine, vous de celui à l'échelle du monde, de la vie universelle... là est l'énorme différence qu'il peut y avoir entre les Manouches, les Tziganes, les Nomades et les citadins-bourgeois.

Je vous demande pardon de vous dire cela, mais je ne peux me taire. J'aime ce qui existe, ce qui bat dans le cœur, dans la tête des enfants. C'est quelque chose de naïf et de pur, qui vit au rythme de l'inconnu, de l'intouchable, qui leur fait, d'instinct, sentir la place et la nature véritables des êtres et des choses, déceler, à travers le mensonge, la part de vérité et leur permet d'entrer par la porte des sens et de l'imaginaire dans le noyau secret de toute forme d'existence. Et ce que les adultes leur accordent par l'excuse de leur jeunesse, ils l'interdisent quand ces enfants atteignent leur écorce d'homme — ou le ridiculisent en traitant leurs élans les plus naturels, les plus spontanés, d'« enfantillages » ou de « crises ».

Je n'en veux pas aux adultes ; je trouve seulement que leur vue se fait courte et basse avec le temps, que leur cœur s'essouffle et se couvre de rides. Mais on ne peut reprocher aux hommes de subir les effets de leur éducation, on ne peut que les en plaindre. Peut-on appeler « amour » ce qu'on se contente de vivre à défaut d'autre chose ? Partager à deux le regret de la vie et le désespoir de la solitude, c'est la mort à brève échéance ; ou plutôt le suicide, et le pire : *celui qu'on rate*.

Mon âme, amour, votre lettre m'a mis dans le cœur un espoir fou de joie et ces six mois d'épreuves me seront légers si je vous sais confiante et pleine de courage en l'avenir. Oh ! comme vous avez raison de dire que le silence c'est la mort pour notre amour. Oui ! ces six mois il faut les partager, les vivre à deux. Vous ne savez à quel point notre amour a pris force durant ces deux années, comme je le sens s'épanouir en moi, s'ouvrir lentement comme une fleur sous la lumière, une belle fleur qu'il ne faut pas laisser mourir de soif, ni de froid ; une fleur fragile qui réclame beaucoup de soins attentifs, comme la rose du « petit prince » qui avait tant besoin du soleil de sa tendresse.

Ma petite fleur aimée, j'ai cueilli des violettes et du muguet pour vous mais si je vous les envoie ils vont faner. Je les garde donc, mais ils sont pour vous ! Il pleuvait, il y avait de l'orage, plein d'éclairs dans le bois où je vous ramassais ces fleurs, et c'était pour moi un jour très beau parce que j'étais avec vous et que j'aime tant l'orage (surtout quand il pleut : ça sent fort la terre et le soufre !).

156

Ç'a été un très beau jour aussi, en Bretagne, quand nous nous sommes aimés, dans le soleil, en pleine lumière. J'y pense à chaque fois que je vais dans la plaine et que l'odeur des pins, de la terre, de l'herbe, m'emplit les poumons. Chaque fois, je vous sens très fort en moi, présente de tout votre être. Pas même besoin de fermer les yeux : il suffit de respirer, d'écouter, de regarder, de sentir le poids adorable de votre corps (quand j'étais votre « cheval » ! Quand on vous a prise pour une dame venue du ciel, pour « la petite fille à Legacq »).

Oh ! Minou, il y a des moments terribles, où vous me manquez si fort, où je n'arrive plus à dormir ni rien que tourner en rond, où j'ai envie de m'enfuir vers vous pour vous prendre dans mes bras, même cinq minutes, et vous couvrir de baisers.

Ma petite âme rouge, ne croyez pas que ces six mois me laissent sans tendresse ; il y a celle des copains (elle est secrète mais très présente). L'amitié des hommes est une chose très belle.

Amour, je ne veux ni ne désire d'autre corps que le vôtre, de cela vous ne devez pas douter ; et je sais que là-bas, ma sensibilité sera plus forte que ma sensualité, car ma sensualité vous appartient et ceci sans que j'aie besoin de la contraindre. Oh ! Ma Pipouche, je t'aime si fort. FORT

Bône, le 14 mai 1962 (1ʳᵉ lettre d'Algérie).

Mᴀ p'tite gosse chérie,

Excellent voyage: des copains avaient loué une cabine.

Heureusement que vous m'avez filé des cachets contre le mal de mer! au début, j'ai cru que j'allais y passer! J'ai plein de cachets aussi, contre le «palu». Y paraît que j'en aurai pas besoin; en effet, nous ne restons pas à Bône. On va jusqu'à Tébessa, à quelque deux cents kilomètres d'ici près de la frontière tunisienne, où le climat est trop sec pour le palu. «Tébessa» ça doit être une très petite ville, isolée, une espèce d'oasis où on cueille des colliers de bois de santal comme des violettes dans les bois de Rastatt (j'espère...).

Ça a fait vingt heures de voyage en bateau. La mer était assez calme.

Arrivés en vue de Bône, grosse animation... surtout chez les Algériens du contingent, heureux de revoir le pays. Au moment de débarquer, un gars m'interpelle (celui-là même que vous aviez rencontré à la gare): «Eh! c'est toi qu'as une petite femme qui t'attendait à Marseille? Elle se f'sait du mouron pour te voir! Si on avait pas été là tu l'aurais p't'être loupée!» Gentils, les gars m'ont filé quelques conseils.

Bône, comme ça dans le matin, sale temps brumeux, inquiétante dans la grisaille. Des immeubles hauts, très modernes, et, à côté, des maisons ou des villas plus «indigènes». On débarque sur un quai noyé de bidasses qui attendent de rembarquer : pour eux, la quille! On attend sous la pluie, deux heures. Je regarde la tête des gars : toutes un peu blanches, les traits tirés, fatigués du voyage sur le pont ; certains un peu désemparés et inquiets. On regarde autour de soi, on essaye de se faire une opinion. Puis les bahuts viennent nous cueillir, direction transit-caserne. Nous, pour Tébessa, on part demain, par voie de chemin de fer.

Le transit... espèce de baraquements sales, les chiottes bouchées, pas d'eau depuis deux jours, des mouches partout, les gars qui déambulent dans le camp, incertains. Beaucoup de pluie, de boue... Un type jouait de la guitare, à l'abri sous un bahut.

À côté de notre piaule, il y a des Algériens qui écoutent un poste local : musique du pays qu'ils reçoivent avec une grande joie bruyante.

En traversant la ville, on croisait des gens habillés de façon très orientale : une femme avec une immense robe noire, comme une longue et large cape, et voilée... des hommes en turbans... un vieillard très noble avec une longue barbe, la chevelure immaculée... des enfants qui courent partout... Beaucoup de véhicules militaires et cette musique modulée, orientale/espagnole, comme une longue plainte, un lamento, une sorte de «blues» arabe.

Lorsque j'ai regardé le train s'éloigner avec vous, j'ai pensé que c'était la dernière fois que je vous quittais. Vous ne pouvez savoir à quel point j'ai été touché de vous voir. Tant d'amour et de générosité ne me surprennent pas de votre part, pourtant, il y a bien peu de femmes qui font preuve d'autant de volonté et de tendresse en amour. Vous étiez fatiguée de ce long voyage, cependant vous n'y avez jamais fait allusion. Toujours le sourire de la tendresse sur votre visage. Et c'est avec cette image de votre amour que je suis parti, avec votre confiance, et cela me remplit le cœur de force et d'espoir.

Je ne redoute pas ces six mois; j'attends beaucoup d'eux, beaucoup de moi, de moi *pour vous*, pour NOUS.

Ma petite âme, profitez de mon absence pour regagner tout ce temps que je vous ai fait perdre, travaillez (mais ça, je n'ai pas besoin de vous le dire). Vous avez en vous une somme énorme de sensibilité et une façon si belle de l'exprimer.

Lorsque je vous ai dit que vous aviez terriblement embelli, ce n'était pas un compliment d'amoureux, c'est vrai. Il y a quelque chose qui a fleuri en vous et cela éclate par toutes les fibres de votre être.

Oh! Mon sang, mon souffle, ma vie!
Je vous aime

Votre Higelin.

MON âme tendre,

Extraordinaire voyage vers le sud, le long de la frontière tunisienne. Là où, il y a encore peu de temps, les combats faisaient rage. D'ailleurs, partout le long de la voie ferrée, des réseaux de barbelés, des arbres calcinés, d'autres abattus par les obus ou brûlés par les bombes au napalm. Parfois, des ossements qui sont restés sous les lignes électrifiées.

Et puis un paysage fabuleux, sauvage, couvert de vignobles secs et arides en allant vers le sud.

Partout aussi, dans chaque village, une misère épouvantable. Dans les gares, les gosses couraient après notre wagon en réclamant du pain ou n'importe quoi qui se mange. La plupart vont pieds nus et leurs habits sont en loques. Mais, dans toute cette misère, quelle noblesse et quelle beauté !

Les enfants ont de grands yeux noirs, les cheveux noirs ou roux. On ne peut se faire idée de leur beauté ni de leur agilité ou de leur malice pour vendre le peu qu'ils possèdent de richesses

naturelles (oranges, fruits) à des prix déri-
soires.

D'autres ciraient les souliers, ou vendaient des
jus de fruits, des croissants. J'aurais voulu avoir
beaucoup de choses à leur donner : du pain, des
conserves, de l'argent. Mais quand mes poches
étaient vides et mon sac aussi, il y avait encore
beaucoup d'autres gares, d'autres villages, d'autres enfants affamés et on les regardait courir le
long du train, le cœur déchiré de ne pouvoir plus
rien leur offrir. Eux aussi nous dévisageaient
avec des yeux d'abord pleins d'espoir et peu à peu
la déception et le découragement arrêtaient leur
course.

Quelle noblesse chez les hommes, dans les
montagnes, à cheval. Ils sont habillés de larges
capes flottantes et de turbans qui leur enrobent le
visage. Ceux qui marchent avec un bâton sont
des bergers, ou des vieillards, qui portent la
longue barbe blanche. Je n'ai jamais vu de
démarche aussi solennelle, on dirait des sei-
gneurs, des rois, des prophètes.

Leurs femmes sont vêtues de très larges robes
blanches, noires, grises ou brunes et cachent
leurs visages sous des voiles. Seuls les yeux sont
apparents. Certaines, même, portent un voile
continu où est tissée une dentelle, à l'endroit du
regard. Inutile de vous dire la beauté de leur
démarche et de leurs habits, ni les couleurs
vivantes des tissus : rouges, violets, avec de
larges fleurs multicolores, bleu ciel, jaunes,
vertes, qui éclatent dans la grisaille des gares ou
sur la couleur terreuse des maisons. Car il y a
beaucoup de villages qui sont construits en terre,
en boue séchée, ou même souvent faits de huttes
de paille et de branchages, recouvertes de terre,
ceci dans les montagnes. Et puis, suspendues

entre ces montagnes escarpées et rocheuses, il y avait d'immenses plaines à perte de vue. Là vivent les nomades, sous leurs tentes de peaux, qui élèvent des troupeaux de vaches, de chevaux très fins et très nerveux, racés, de chameaux et surtout de chèvres noires et de moutons (blancs ou noirs). Il y a aussi les bergers, dans leurs longs burnous flottants, maniant des cannes, qu'ils tiennent en leur moitié, d'un geste large, et qui inspirent admiration par la grâce et la pureté de leur comportement.

Nous avons voyagé dans de vieux trains de troisième classe qui avaient à l'arrière une espèce de plate-forme. Je me tenais là — béat — devant cet immense spectacle de la nature d'Algérie, bouleversé par tant de misère et de grandeur. Jamais, de ma vie, je n'ai vu de nature si limpide et si sauvage, si secrète et si avenante.

Il y a dans tout cela une humanité qui attire rien que dans le mystère des visages et la santé amoureuse des corps. On sent partout une sensualité très profonde, surtout chez les enfants.

Un moment, dans une gare, nous avons croisé trois hommes en burnous qui venaient d'échanger entre eux un baiser fraternel. Ils étaient jeunes et avaient l'allure de combattants F.L.N. J'ai levé la main pour les saluer et eux en ont fait autant, en m'adressant un sourire très ouvert et confiant. Ça m'a surpris, étant donné qu'au long du parcours les hommes en turbans se montraient tous très fermés et semblaient ne pas vouloir nos gestes d'amitié. Ils ont dû beaucoup souffrir des cruautés françaises de la guerre ; il y a de nombreux cas de saloperies faites par des gars même du contingent. Du moins, certains se sont vantés devant moi de vols ou de tortures infligés aux Algériens sous la menace des armes et ceux-là semblent regretter le temps où l'on achetait un mouton, arme au poing, le quart de son prix (déjà dérisoire!). Des soldats on arrive à l'armée et aux casernes!!!...

Là, beaucoup de points de suspension et pour cause! J'ai l'«inestimable chance» de tomber sur le régime le plus militarisant de toute la région. Capitaine: ancien légionnaire-parachutiste... Le règlement strictement appliqué... Menaces! Ici, pas de consigne, la tôle! À partir de huit jours de tôle: tribunal militaire et demande de prolongation du service. Régime très très con! (bien plus qu'en Allemagne). On ne peut pratiquement pas sortir en ville, ou à peine.

Depuis Marseille, il n'arrête pas de pleuvoir. Et puis, ici, c'est le même régime que mes débuts à l'armée; tout le monde fayote, tout le monde a la trouille. Il y a beaucoup de «revues» et pas mal de «rapports». Le moral est généralement assez bas pour tous. Dans cette même caserne, de nombreux «paras» et plusieurs légionnaires qui y font des passages... Voilà pour l'«esprit». Pour ce qui est du reste, corvées et gardes. Six mauvais mois en perspective et le tour est joué!

On m'a foutu au central téléphonique. C'est pratiquement la seule «planque» — une piaule pour deux, exempt de garde! faut voir! Les débuts, c'est toujours la pagaille. On court à gauche à droite et puis on finit par s'organiser, se faire une place (celle qu'on *veut*).

Pour le courrier, il paraît que les lettres arrivent avec parfois jusqu'à huit jours de retard!!! (charmant!). Je ne sais donc quel jour vous parviendra la mienne et surtout quel jour je recevrai la vôtre *(dont j'ai tant besoin)*.

Oh! quelle connerie ce monde-bidasse, on se croirait chez des curés!

Chérie, pardon de n'avoir pas parlé de nous deux. Il fallait que je vous explique un peu ce mélange qui se trimbale dans ma tête.

J'ai un gros cafard de vous. Il faut attendre un peu qu'il passe, que mon enthousiasme revienne. Plus j'avance dans les épreuves de la vie, plus vous m'êtes proche. Quand ça ne va plus très bien, quand je sens ma faiblesse, je vais vers vous, vers votre tendresse, votre sourire, et cela me console de toutes les saloperies du monde ; ça me rend le rire et la confiance et ça m'aide à faire rire les autres pour qu'ils surmontent leur peine.

Hier soir, j'ai joué sur un vieux piano et les types étaient ravis.

OH ! JE T'AIME FORT

COURAGE MA PETITE FEMME !

Tébessa, 17 mai 1962.

AUJOURD'HUI, changement de programme. Pour la planque du central, c'est râpé!!! Y m'ont mis à l'échelon. L'échelon, c'est tout ce qui est moyens de transport. On va me donner une «jeep», je crois. C'est chouette, parce que les gars qui sont sur une «jeep» y font toute la région. On va même jusqu'à Bône porter des ordres de mission ou n'importe quoi. Seul boulot, t'occuper de ton bahut, le soigner, le cajoler, et rouler souvent. C'est un boulot qui me plaît. Ça m'aurait embêté de rester dans une piaule toute la journée à planter des fiches dans les trous.

À part ça, la garde et les corvées; on n'est pas gâtés! mais c'est rien, on s'habitue. Les types (appelés) sont des Marseillais, tous très droits. Ici, pas de détours ni de saloperies, on est dans le même bain, on partage. Je vous l'ai déjà dit, le régime est con, les rempilés jouent aux cowboys. Ils «roulent». Ils ont dû voir un western ou un film américain à la gloire des héros-paras et ça les a marqués à vie...

Les deux premiers jours, j'ai un peu nagé, maintenant je m'organise (on s'imagine toujours différemment ce qu'on va vivre: on «idéalise»!). Nous allons bientôt quitter cette caserne pour une autre (le F.L.N. prend position), peut-être même sera-t-on rapatriés. Pas sûr...

Je suis sorti en ville, j'avais une infection au pouce. L'infirmerie est dans le centre de Tébessa, qui ressemble à un marché. Il y a toujours plein de gens dans les rues, beaucoup d'enfants qui jouent et nous apostrophent en riant: «Dis, quand tu as la quille?» et une petite fille qui chantait: «Le drapeau F.L.N. est monté, le drapeau bleu, blanc, rouge écrasé.» Une autre me prenait la main pour jouer. Les gosses rient très facilement ici et leurs dents toutes blanches éclatent dans leur visage sombre aux yeux de jais. Tout ça fait un beau chahut, plein de cris, de batailles, et de rires.

Beaucoup de soldats dans les rues. Les «postes» gardés par les Algériens en turban, assis, jambes croisées, un fusil sur les genoux. Un vieillard jouant à la balle avec un petit enfant. Beaucoup de poussière, de femmes voilées. Des putains aussi (il y a un bordel), trop fardées; quand on pense au nombre et au genre de gars qui leur passent sur le corps, on ressent pas mal de pitié pour leur ignoble sort.

Il fait plus doux. De temps en temps un soleil timide... et beaucoup de mouches. Je commence à être dévoré par les puces et les punaises. L'ennui, ici, c'est que la moindre piqûre ou coupure s'infecte rapidement.

Je n'ose pas penser à l'amour. Cette nuit j'ai rêvé de vous et je me suis éveillé avec un grand désir dans tout le corps. J'essaye de ne pas penser trop à cela. J'y arrive... encore quelques jours et mon corps sera plus calme.

Mon Minou, je ne vous tromperai pas. De cela je suis certain et vous n'avez aucune crainte à avoir, mais je voudrais tant vos lettres. Hélas, il faut déjà que vous receviez les miennes et le courrier est si peu sûr...

Ma petite bonne femme, je voudrais que vous ayez vite celle-ci. Mille baisers sur votre cœur et votre corps de la Frimousse.

Tébessa, 18 mai 1962.

Pipouche, quelle chaleur ! il paraît que cela grimpe à plus de 50°... pour l'instant « gros soleil ». En plus, pas un arbre dans cette caserne et les baraques en tôle ondulée, la réverbération, t'aveuglent. On se traîne d'un coin d'ombre à l'autre.

Décidément, je suis heureux d'être aux « bahuts », les gars sont tous très chouettes. Ce matin on a transporté des fûts d'essence de deux cents litres. J'ai pu causer avec un type (un petit gars qui ressemblait à Pico) de « Ménilmuche » ! Quand il parle, il y a une petite lumière qui s'allume dans son œil et dans sa voix, jamais de colère, toujours une façon gentille et naïve de parler des gens. Le vrai petit gars de l'usine ! On était avec un Kabyle, très bien aussi, on discutait de l'Algérie. Le Kabyle, il a pas mal souffert déjà de l'injustice ; je te passe les détails, c'est l'éternelle histoire des tortures, des massacres, des saloperies de la guerre.

Ici, à Tébessa, il y a peut-être un an, pour deux des leurs abattus par le F.L.N., les légionnaires ont massacré trois cents Algériens en moins de trois heures (femmes et enfants aussi)... Le capitaine leur avait donné « carte blanche ».

Ce matin, j'ai vu un homme très grand, très

noble, en turban et burnous, les vêtements troués, usés, portant lunettes, et qui posait sa longue main sur la tête des enfants qu'il croisait. Dans son regard, une grande sagesse, une grande bonté. Beaucoup d'hommes ont l'air de prophètes ou de Christ; ils marchent à grands pas, tête haute, les yeux purs et clairs. C'est très beau à voir dans la lumière de l'été algérien. Beaucoup de petites filles, aux longs cheveux roux, marchent accompagnées d'enfants qu'elles tiennent par l'épaule, comme pour les protéger. Ici, l'amitié est faite de contacts charnels, les gestes sont sensuels et spontanés.

Un enfant sur un petit cheval arabe, qu'il dirigeait par les mouvements de sa main sur la crinière de l'animal. Il monte sans selle. Beaucoup d'enfants vont ainsi.

Certains musulmans voyagent dans des petites carrioles rafistolées, tirées par un poney ou un petit cheval maigre et nerveux. Dans tous les détails, dans toutes les rues, la misère pousse comme une fleur sauvage, avec une beauté sans égale, farouche, mystérieuse, nue. On suit les enfants des yeux, leur merveilleuse beauté éblouit.

Tous les ans, il y a le marché aux femmes. Le dernier a eu lieu il y a un mois. Un bidasse avait demandé permission d'en acheter une (120 000 A.F.). Il l'a emmenée en France, et épousée. Méfiez-vous, chérie... si je trouve une belle dame! (il faut, dès maintenant, que je pense à faire des économies!...).

JE T'AIME et je rêve de vous. Toujours pas de lettres. Je regarde avidement le courrier. Mais il faut savoir patienter. Le temps que vous receviez mes lettres, que les vôtres me parviennent... ici, il ne faut pas être impatient, le temps est relatif à

tant de choses (chaleur, paresse de vaguemestre).
Normalement, le courrier devrait vous parvenir
deux jours après.

Question bouffe, c'est mieux que l'Allemagne.
Un cachet de Nivaquine à chaque repas, l'eau
désinfectée, ça va !

Hier j'ai conduit un « command-car »... ça
merde un peu (gros bahut !). Ce qui est bath', c'est
qu'on sort souvent, on bouge, alors le temps
passe plus vite, on gamberge moins.

Ce qui me préoccupe, c'est vous. Vous si petite
dans cette grande ville où l'on étouffe, au milieu
de votre solitude. Je voudrais tant être près de
vous, vous prendre contre moi, vous protéger de
la connerie des gens et du monde des villes.

Chérie, *juste à l'instant,* à la radio, Jacques
Brel : « Ne me quitte pas ! » Peut-être vous êtes là,
peut-être vous écoutez. OH ! JE T'AIME.

Je regarde les gars qui ont des belles gueules,
tout bronzés, costauds, enfin beaux quoi ! et puis
je regarde ma gueule et je sens le cafard monter.
Pourquoi pas un autre ? Je regarde votre photo...
Vous êtes si belle, il y a tant d'hommes autour de
vous et ils vous sentent peut-être triste et seule,
ils cherchent peut-être à vous consoler...! Oh !
c'est con de penser ça !

**JE VOUS COUVRE DE BAISERS, DE SOLEIL,
DE TENDRESSE**

MARRANT! Ce midi, tous les gars de l'échelon ont fait la «pluche» (les patates!). Toujours pareil: c'est dans les casernes où le régime est con et serré qu'on trouve les types les plus sympas. Remarquez, pas dans tous les services. Mais l'«échelon», c'est chouette! Les gars d'ici sont, pour la plupart, camionneurs dans le civil ou bien ouvriers-mécaniciens. Alors l'esprit est très bath! On est copains, on s'entraide, on donne ce qu'on a et on partage.

Ce matin, piqûre «typhus»! Un peu douloureux, mais ça passe. La ville écrasée de soleil. Dans les rues, la clarté aveugle, la poussière aussi. Une bonne femme habillée avec des sacs troués, mités, cousus grossièrement. Beaucoup comme ça. Les «bienfaits» du colonialisme! Dans les rues sèches, la crasse et la misère croûteuse, c'est terrible! Les gens sont littéralement bouffés par les infections, la déchéance des conditions de vie. On a souvent l'impression que les musulmans ne quittent jamais leurs vêtements, même pour dormir, surtout ceux qui sont restés attachés aux coutumes anciennes (la nouvelle génération est vêtue plus légèrement), car quel que soit le temps, on les voit toujours couverts d'une surcharge d'habits: turbans, pantalons bouffants, vestes, burnous, pardessus en laine, etc. Mais je pense que l'ampleur des tissus aère le corps en mouvement, par grosse chaleur et que leurs différentes épaisseurs le protègent du froid. Il n'y a que les enfants, vêtus d'étoffes de couleurs vives, très légères, qui aillent presque nus. Certains portent des calottes rouges en guise de couvre-chef, qui sont comme des coquelicots dans la blancheur bistre des quartiers arabes.

Dans Tébessa, à part les militaires, il n'y a presque pas d'Européens (sauf des instituteurs ou des fonctionnaires). Ça ressemble d'ailleurs plus à un grand village qu'une petite ville. L'essentiel de Tébessa se situe dans l'enceinte d'antiques remparts romains. Ce qui est en dehors des remparts ce sont les casernes (grosse concentration de forces armées) et quelques groupes de maisons dispersées (hôpital civil, poste P.T.T., gare). Plus loin, à quelque deux kilomètres, un aérodrome : base militaire aérienne.

Dans la cité, un enchevêtrement de petites maisons, de magasins enserrés par des ruelles étroites, le tout noyé de monde, d'une petite foule grouillante et vivement colorée qui s'agite autour d'hommes et de femmes immobiles. Il y a, dans ce peuple, un mélange de vie intense, folle, gesti-culante, mouvante, sensuelle et de sagesse fati-dique, calme, prophétique. C'est comme le contraste entre des grains de sable tourbillon-nants dans la tempête et l'horizon calme d'une mer sereine.

Sans cesse, je pense à vous. Je vous sens dans mon cœur, au plus profond de mon être. Ce matin, longuement, je regardais votre visage. Je pensais à ce dernier jour de Marseille. Il y a quelque chose qui s'est ouvert en vous à la lumière de l'amour et c'est ce que je souhaitais tant, cet amour qui éclate par vos gestes, votre corps, par vos lèvres et dans vos yeux. Ce même éclat que je retrouve dans les regards et les corps des enfants de Tébessa qui poussent dans la misère libre, dans l'amour des rues, dans la révolte des instincts. C'est ça qui est en vous, qui bouillonne dans votre être, qui jaillit d'un flot de tendresse et de fièvre amoureuse.

Chérie, ma petite âme, je suis de corvée et ne peux, hélas, rester plus longuement avec vous. Je vous quitte (pour aujourd'hui et seulement dans ma lettre).

Je n'ai toujours rien de vous. Chaque jour, j'espère, je me dis : peut-être demain ! Oh ! pourquoi le courrier met-il tant de temps à circuler ? !!! Peut-être cet après-midi ! — Oh ! *j'ai besoin de vous lire.* Je sais que vous m'écrivez, vite cette lettre de vous !

Je t'aime fort. Je te serre contre moi et te couvre de mille baisers.

à tout de suite, ma Vie

Votre Higelin.

Dimanche midi, le 20 mai 1962.

*Il faut savoir cacher ses larmes
quand le meilleur s'est retiré...*

(C. Aznavour)

Oui... De toute façon, ça sert à rien de se laisser aller.

Ce matin encore, pas de lettre. Rien de vous depuis une semaine...

Vous dire que je n'ai pas le cafard, que je ne suis pas triste de vous, ça serait vous raconter des blagues. Parfois, je me demande s'il y a un peu de vérité et de justice dans le monde : n'ai-je pas déjà été assez de fois séparé de vous ? Est-ce que notre amour est condamné par la destinée ??? Ou alors, pourquoi nous a-t-elle fait nous rencontrer et nous aimer avec tant de force et d'attachement ?

Peut-être pour éprouver cette force, cette solidité ? Mon amour, pourquoi même pas une lettre ?... Les facteurs, aussi, nous condamnent !!! J'en avais tant souhaité une aujourd'hui (le dimanche, on reçoit du courrier. Il n'y a que le mardi qui nous laisse sans nouvelles). Enfin... Tant pis ! peut-être demain ? !!!

Je commence à m'habituer au climat brûlant de Tébessa ; aux copains aussi. Au début (et c'est normal, car pour eux je suis le «nouveau») ils me boudent un peu. Et puis, aujourd'hui, on commence à discuter, à rire ensemble, à s'« apprivoiser ». Ça fait plaisir, les premiers liens d'amitié. On se sent moins isolé, moins seul dans sa détresse ; ça m'aide à remonter le courant, car... je crois bien que je commençais un peu à « merder » dans ma tête, ces trois derniers jours.

Je reprends ce début de lettre, que j'avais abandonné because chaleur lourde et accablante de midi. Il est maintenant aux environs de sept heures du soir.

L''horizon en flammes, les lueurs incendiaires du couchant qui s'épanchent sur le dos des collines. Une fraîcheur calme, apaisante, douce au corps et à l'esprit.

Ici, le climat est dur pour les nerfs, tout le monde est un peu cinglé ; à cause aussi des sachets quotidiens de Nivaquine et du travail sous un soleil mordant. Il fait déjà chaud le matin, vers huit heures, et ça dure jusque cinq, six heures du soir.

Hier soir, il y avait du ciné au quartier. Un film con, militariste : *Crève-cœur* de Jacques « Dupont ». Je suis parti dès les premières minutes. Avant ce film, un court métrage extraordinaire sur le cirque (Pinder). Quelle famille étonnante !!! Quel monde chaleureux, humain et fraternel que celui du cirque et aussi quelle leçon d'humilité et de volonté de la part de tous ces artistes ! C'est peut-être le métier le plus noble de tous ceux du spectacle. Le cirque c'est une âme populaire, un cœur simple qui parle, qui s'adresse aux cœurs des autres, avec humilité et courage. J'aime ça. Tu te rappelles quand on y était allés, à Saint-Nazaire ?... Tout le temps du court métrage j'ai pensé à vous dont ça avait été le métier durant une période de votre vie. Tellement je vous imaginais dans cet univers que j'ai été tout surpris et déçu de ne pas vous avoir vue paraître sur l'écran car tout ce que j'aime de la vie, du monde, je le retrouve en vous. Dans ce que je contemple, dans ce que j'aime toucher, entendre ou voir, il y a toujours quelque chose de vous qui transparaît. C'est vrai, mon amour, et c'est la raison pour laquelle je ne me sens jamais seul ni éloigné de vous, c'est comme ça que je vous «sens» vivre en moi, que je partage tout ce que je vis avec vous.

Tu vois, ma flamme, les seuls instants de ma vie qui m'aient marqué profondément sont ceux que nous avons partagés. Même mes amitiés d'hommes se confondent dans mon amour pour toi. Tout ce que je reçois de beau, de pur, qui me vient des autres, j'ai toujours la pensée de vous l'offrir.

Mon joli chat, je voudrais que vous ne doutiez pas, cette fois, de mes mots. Je serais très malheureux que mes lettres d'à présent vous laissent sceptique. Ici, tout est trop vrai, et même cruellement vrai, pour laisser la moindre place à l'erreur et au mensonge. La beauté est, ici, lucide comme la misère du peuple musulman et face à cette misère née des cruautés du colonialisme, face à cette beauté fragile et nue comme le sourire des enfants, il n'est plus question de tricher.

Ma flamme, devant cette misère et cette tendresse humaine, je veux vous dire la force et la fidélité de mon amour pour vous. Il me donne tant de confiance et de foi, me trouble si fort le cœur, comment douter de sa sincérité, de sa vérité, quand on se sent bouleversé de tant de pensées, brûlantes comme ce soleil d'Algérie, qui mettent la folie dans le sang mais aussi une immense joie, toujours neuve, dans l'âme.

Comment douter, quand on sent deux rires

éclater dans sa gorge, quatre poumons se gonfler dans sa poitrine, l'élan de deux sensualités vibrer sous sa peau, deux cœurs battre à tout rompre la cadence de l'amour dans son être entier.

Car il y a maintenant votre vie qui palpite en moi : un peu du sang que je vous ai bu, qui fait des millions de fois, nuit et jour, le parcours de mes veines. Et cette parcelle de vous, qui vit en moi, je la porte comme une femme son enfant, je la sens qui bouge dans ma chair et qui cogne sur mon cœur.

Ô mon amante, sois heureuse, JE T'AIME, il ne peut rien vous arriver de mal : mon amour veille et vous protège.

Votre Higelin.

Lundi 21 mai 1962.

Ce matin, rien encore. Pourtant mes lettres ont dû vous parvenir ! — J'essaie de calmer mon inquiétude. Je regarde le ciel, les collines, avec mélancolie... J'aurais tant aimé partager cet été avec vous. Toute cette lumière, cette beauté de la nature, gâchées par votre absence.

Dans la fraîcheur douce du vent, sous la caresse du ciel et la morsure ardente du soleil, imposer silence à mon corps qui vous réclame, se contraindre à ne pas entendre votre voix chaude et sensuelle qui résonne en lui comme un appel de l'amour. Oh ! j'en veux tellement à la nature de s'être faite si belle, si séduisante en cette terre d'Algérie. Pourtant, il faut se montrer fort, faire patienter cet instinct qui se révolte et éclate parfois avec trop de violence. Pour cela, je m'occupe. Je travaille à mon moteur. Ça y est ! on m'a confié une « jeep » ; à moi de la soigner. Pour l'instant, elle est dans un état de crasse bien piteux, il faudra sans doute démonter les pièces du moteur. Je n'y connais pratiquement rien mais ça me plaît d'apprendre. C'est un chouette boulot et les gars de l'échelon me filent un coup de patte. Un bahut c'est capricieux. T'apprends à le « sentir », à deviner ses réactions, tu

« sympathises » avec, ça devient un peu un « compagnon ».

Je parle... je parle de n'importe quoi et je ne pense qu'à vous. J'ai beau essayer de me concentrer sur le boulot, la tête n'y est pas. Elle fait semblant, c'est tout. On visse un boulon, on met de la graisse par-ci, par-là et puis le geste reste suspendu... à la pensée. Et ce soleil trop éclatant, cette lumière qui bouillonne, m'arrachent le cœur et me surprennent immobile, écoutant votre être qui parle en moi.

Et puis... pas même vos lettres. Ce serait au moins un peu de vous que je pourrais toucher, embrasser, un peu de vos caresses, de votre peau sous mes doigts.

Ce matin, j'étais pourtant presque sûr qu'il y aurait quelque chose. Je n'osais trop espérer. Du courrier sur la table, étalé. Pas votre écriture sur une seule enveloppe ; et demain il n'y a aucune relève. Encore deux longs jours à attendre...

Heureusement, il y a vos lettres précédentes que je relis, et aussi la sympathie des copains qui se fait jour, leur amitié qui m'aide à surmonter les moments de cafard. Eux aussi attendent leur courrier. On partage notre « spleen » sans que pourtant jamais personne en parle. Les gars de la piaule ont de la pudeur, chacun respecte l'univers intime de l'autre et ne se permettrait jamais d'y foutre les pieds. Pourtant, une solidarité s'établit, forte et généreuse. Ici, pas de « planqués » ! Ce sont déjà des caractères d'hommes qui se dessinent, une volonté et un courage d'homme. Chez les chauffeurs, à part une ou deux exceptions, il n'y a pas de types qui « jouent » à s'inventer un personnage ou à tricher avec eux-mêmes. Ce sont des gars tout droits sur qui on peut compter.

Mon Amour, si j'ai tant d'impatience de vos

lettres, c'est que j'éprouve de l'inquiétude, de la peine à me sentir tenu à l'écart, ignorant de tout ce qui vous concerne. Pourtant, je suis sûr que tu m'écris et que cet après-midi il y aura ta grande enveloppe sur la table. JE LE VEUX.

Oh! Amour, si tu savais...

Tébessa, mardi 22 mai 1962.

Ma belle âme

Hier, rien. Aujourd'hui, pas de courrier... On m'a dit qu'il y avait des grèves ; c'est cela qui doit empêcher vos nouvelles d'arriver jusqu'à moi. Peut-être même n'avez-vous encore rien reçu de mes lettres. Pourtant, chaque jour, je vais vers vous. C'est cela qui me désole : de vous imaginer inquiète, en train de penser que je vous oublie, ou n'importe quelle mauvaise idée de ce genre !

C'est idiot ! L'irrégularité du courrier fera que nos lettres seront toujours désynchronisées, qu'il faudra au moins quatre jours et au plus quinze avant de recevoir une réponse au message posté... (un gars a reçu, un jour, toutes groupées, « dix-sept » lettres de sa femme, écrites à raison d'une lettre par jour !!!).

Si vous saviez comme j'ai hâte de vous lire. D... avait raison lorsqu'elle disait qu'il n'y a pas de plus cher cadeau, de plus beau présent, qu'une lettre, pour des amants séparés. Si vous pouviez voir avec quelle impatience, quelle émotion, le courrier est espéré, ici, par tous les gars. Je ris en pensant aux pauvres arguments que j'avançais en parlant de notre « silence » de six mois !

C'est maintenant une grande joie, un besoin de tout mon être, de passer quotidiennement un long moment de la journée avec vous, sans que rien ne vienne me distraire (travail ou copains!) de cette feuille de papier où je peux te confier mon amour, mes chagrins, tout ce qui me bouleverse. Là, j'ai le sentiment réel que tu m'écoutes, que tu t'assois en face de moi et, les bras autour de mon cou, que tu me regardes au fond des yeux.

Alors, dans ces moments-là, je ne t'écris plus, je te parle; et en couchant les mots sur le papier me vient la même émotion que si tu m'écoutais te les dire de vive voix.

Je vous ai un peu quittée (étant de garde, il me fallait monter une faction!). Il y a un petit garçon qui a demandé à manger. Il vient tous les jours au poste de police avec une petite fille. On leur garde toujours quelque chose (la petite fille n'est pas encore venue). Je lui ai cherché une demi-tablette de chocolat et un pain: c'est tout ce que je peux, aujourd'hui. Il ne me reste rien dans l'armoire, ça me désole. Je voudrais pouvoir tellement plus. Oh! Minou, il faudra qu'on ait beaucoup d'argent pour aider les gens qui souffrent, qui ont faim. Surtout les gosses, ils sont si malheureux et ne peuvent rien contre la cruauté des hommes. C'est contre cette injustice, pour soulager cette misère, qu'il faut se battre sans cesse. C'est pour ça qu'on n'a la «quille» qu'au moment de mourir. Tenez, ici, à Tébessa, le ciel est limpide, la clarté transcendante, le paysage beau comme la vérité; eh bien, même là, il faut se battre; se battre pour que les hommes puissent regarder ce ciel, cette splendeur, librement. Je me demande souvent comment il se fait qu'au milieu de cette pureté, de ce rayonnement solaire, des hommes *peuvent* donner des ordres absurdes, contraindre d'autres *hommes* à se comporter inhumainement, à obéir de gré ou de force aux lois d'un système basé sur la menace, la lâcheté, l'hypocrisie et la délation !

Ma gosse chérie, je dois te quitter, on me réclame pour une corvée.

Oh ! *Je t'aime !* Cet amour, c'est notre joie, notre force ; je vous sens vivre en moi si fort. *Je vous couvre de millions de baisers !*

Samedi 26 mai 1962.

J'ai reçu vos deux lettres du 23 et du 24 en même temps. Ça fait mal!!! mais je préfère la vérité. On y attrape des «bosses» mais au moins on sait pourquoi.

Alors, je vais répondre, «essayer» de répondre... calmement! D'ailleurs, ça doit m'être facile puisque je suis un «faible»!!! Je n'ai donc, par conséquent, jamais de «réactions», je «subis» avec indifférence, puisque je n'ai pas de «volonté»... N'EST-CE PAS, «AMOUR»???

D'abord, je n'ai pas besoin que vous me «défendiez» devant les attaques de quiconque, car si vous me défendez c'est que vous me considérez «coupable», c'est que vous avez peur de croire ce qu'on vous dit!

Vous doutez? Vous ne voulez pas me croire, vous ne voulez pas faire confiance... ALORS!!! POURQUOI?... avoir fait tant de kilomètres, depuis deux ans, pour me rejoindre en Allemagne et jusqu'à Marseille? Pourquoi vos sacrifices, vos tendresses, le don de tout votre être...? Pour rien, peut-être... Une «passion»!!!???, c'est tout?

Eh bien! figurez-vous que vous êtes allée trop loin avec moi, ou plutôt DANS moi, et que désormais (appelez ça «lâcheté» si vous voulez) je ne peux plus ne pas vous aimer, c'est trop tard! Où que vous alliez, je vous chercherai, et si vous devez me quitter, je refuse de vivre. ET JE PÈSE MES MOTS.

Si je ne dois pas lier ma vie à la vôtre, je ne veux plus de la mienne, car c'est ABSURDE de prétendre « exister » sans amour.

Il n'y a pas plusieurs sortes d'amours, ce n'est pas vrai ! Ou alors on ne peut pas leur donner ce nom. Il y a l'AMOUR qu'on VEUT, qu'on a toujours espéré, qu'on a souhaité du plus profond de son être, et lorsqu'on s'est brûlé à son soleil, la VRAIE LÂCHETÉ serait alors de l'exclure de soi.

Croyez-vous que nous pourrions survivre à notre séparation ? Si mon amour pour vous était une faiblesse ou une lâcheté, il y a longtemps que j'aurais trouvé, facilement, mille prétextes à rupture.

Oh ! je voudrais vous faire souffrir ce que ces deux lettres m'ont fait souffrir, pour que tu comprennes ma révolte. Car je me suis toujours tu. Je ne voulais pas m'imposer de force dans votre cœur.

Ce dont j'ai le plus souffert, avec vous, c'est de ce manque de confiance en moi qui m'a toujours profondément blessé, ébranlé dans ma volonté de vivre avec vous et si je n'ai rien dit c'est parce que je voulais que ce soit VOUS qui parliez.

J'estime n'avoir aucun droit sur vous et sur votre vie. L'amour ne doit pas être un odieux chantage. Il faut que deux êtres se sentent libres de se choisir, de décider de leur destin commun, sans que rien vienne influencer leur volonté. Aucun homme n'a le droit d'exiger d'une femme des explications ou des justifications à l'amour qu'elle éprouve pour qui que ce soit. Car je pourrais aussi bien user de telles méthodes à votre égard, mais j'aurais trop honte de la bassesse et de l'égoïsme de mes sentiments.

Minou, ne croyez pas que tout aille sur des «roses» pour moi et que je sois inconscient des réalités de la vie, des responsabilités de l'homme vis-à-vis de ses semblables. L'Algérie, ce n'est plus l'Allemagne. Je vous l'ai déjà dit, mais peut-être n'avez-vous pas encore reçu mes lettres. Ici, ce sont des hommes, pas des «collégiens».

Savez-vous où je suis tombé ? Non ? Au milieu d'un centre de parachutistes dont les régiments ont été dissous à la suite du «putsch» O.A.S. qui faillit les amener sur Paris... Alors, imaginez deux secondes le climat des conversations, la mentalité, ou plutôt, l'absence de mentalité...

À Paris, vous sortez, vous allez au théâtre, vous pouvez parler à des êtres épris du même idéal que vous. Mais, imaginez vivre vingt-quatre heures sur vingt-quatre sous les ordres de types grossiers, sans scrupules, avec la misère des rues, des gosses, du peuple algérien, qui vous poigne le cœur, vivre sous la férule d'un régime qu'on hait et ne pouvoir rien... Je vous jure que ce n'est pas facile et qu'il faut parfois bien de la volonté pour défendre ses opinions, ne pas finir par se laisser «avoir», à la longue.

C'est la première fois de ma vie que je me trouve en contact avec une telle misère, une telle injustice, les laideurs de la guerre, la violence absurde et incontrôlée des hommes. Les types ont les nerfs à bout, pour un rien une bagarre éclate.

Chérie, je commence à comprendre qu'on n'a jamais la «quille» et que, dès maintenant, la lutte pour la vie est engagée. Je ne joue plus. Devant toute cette vérité, étalée en plein jour comme de la viande saignante, on ne peut tricher. Ce serait une injure à l'humanité. Il faudrait être un monstre d'égoïsme pour ne pas voir le désespoir des hommes, ne penser qu'à son seul confort moral !

Je voudrais tant que tu sentes qu'il ne s'agit pas d'une «aventure», que «nous deux» ça peut devenir quelque chose de très beau si on lui donne de l'oxygène pour vivre.

Ne croyez pas que c'est seulement à partir de la quille que je commencerai ma vie car il y aurait, entre nous, un décalage de pensée énorme. C'est maintenant, dans ce monde bouleversé, qu'il faut engager la lutte à deux. La cohabitation, le mariage (appelons ça comme on veut), ça n'est rien, ça ne veut rien dire si on ne partage pas les mêmes convictions, les mêmes combats avec le même amour.

Chérie, il ne faut pas vivre avec le passé. Les êtres évoluent ou bien ils meurent. Si vous me voulez vivant, oubliez qui j'ai été pour mieux penser à ce que je peux devenir. Il ne s'agit pas de se leurrer sur ses faiblesses, il faut penser à s'en guérir. Pour cela, tout être a besoin de beaucoup de confiance et de foi. Ceux qui partent perdants perdent toujours.

Je ne vous aime pas dans ces deux lettres, j'exige plus de vous. Les êtres jeunes évoluent sans cesse, quels que soient leur âge et leur situation. Je préfère les gens qui CRÉENT maladroitement au début à ceux qui font, consciencieusement peut-être, un travail appris, sans chercher à en transgresser les règles, car il y a en eux ce pouvoir d'inspiration qui leur permet d'échapper à la routine, à la conformité d'une technique trop respectée. En un mot, je préfère les compositeurs aux interprètes, sans pour autant mésestimer ou sous-estimer ces derniers car il y a aussi une part de création dans l'art d'interpréter, mais la responsabilité en est moins importante (ou consciente).

Oh! Minou, il faut vite m'écrire pour me confier le bonheur que vous désirez. Vous me dites que vous voulez être heureuse; mais, ma Pipouche, qu'est-ce que c'est le bonheur, sinon l'amour. Si je vous aime, vous serez heureuse, parce que c'est mon seul désir. C'est votre rire que je veux, et je ne pense pas pouvoir gagner ce rire si je ne suis pas ce que vous aimez. Nous devons faire des efforts pour aller l'un vers l'autre, ça je l'ai compris, mais il faut du temps pour qu'ils mûrissent en nous et portent leurs fruits.

Mon âme, ne me laissez pas maintenant, ce serait terrible de gâcher tout cet amour.

Je pense à vous sans cesse, de toute la force de mon amour. Mais je suis un homme et j'ai besoin de votre foi.

Amour, oh! crois-moi: je T'AIME

Lundi 28 mai 1962.

Minou,

Hier soir j'ai discuté avec un para qui montait la garde, qui était de Paris et accordéoniste dans le civil, c'est marrant, on leur monte facilement un bateau! C'est exactement comme dans les *Marines*, ce court métrage que nous avions vu ensemble au Quartier latin : tête rasée, éducation à coups de poing dans la gueule — «allez-y les gars vous êtes des héros» — en opération parfois jusqu'à sept mois dans les djebels, sans voir un seul être humain civil. Après, on les lâche dans la ville. Alors, forcément à moitié dingues, ils se défoulent en cassant tout, en pillant. On détraque complètement les gars en leur faisant suivre un régime inhumain. Le gars d'hier soir était conscient de ça et tout en ayant marché avec l'O.A.S., il commence à percevoir certaines choses qui ne collent pas. Étant allé en perme il s'est rendu compte des assassinats commis, des actes de sauvagerie et de terreur de l'O.A.S. Alors maintenant il flotte, il ne sait plus très bien où est la vérité. Hier soir, pris seul à seul, ce n'était plus qu'un petit gars de Paris, qui voudrait bien rejouer de l'accordéon et que ma guitare émerveil-

190

lait (je lui ai fait de la musique). Il étudie le solfège depuis l'âge de six ans et l'accordéon avec «Aimable». Il avait des réactions de gosse et j'imaginais mal qu'on ait pu en faire un tueur... pourtant, c'est incroyable le manque de lucidité de la plupart des gens; ils marchent avec les trucs les plus grossiers, les plus «voyants» et ceux d'entre eux qui en prennent parfois conscience continuent quand même à se laisser avoir, soit par faiblesse, soit par lâcheté, ou peur d'y perdre leur confort moral et matériel.

Ce type comprenait très bien ce que je voulais lui entendre dire, mais il faisait semblant de ne pas comprendre, il trouvait mille raisons qui le justifiaient.

Savez-vous qu'actuellement encore les «paras», dans certains régiments de choc, continuent la chasse aux fellaga, sous prétexte que ceux-ci se trouvent dans des «zones qui leur sont réservées»...! Et le cessez-le-feu est signé...!!! Ces mêmes régiments sont invités, lorsqu'ils descendent en ville, à des bals «O.A.S.», et comme ils sont «glorifiés», reçus en «héros» par ce mouvement, on comprend leur attachement à cette unique planche de salut (étant donné qu'un peu partout ils sont rejetés et mis à l'index). Ce sont en général des types désaxés, déroutés par le monde civil, parce que militarisés à cent pour cent, et très déséquilibrés par le régime de vie qui leur est imposé.

Le gars m'a regardé puis m'a dit: «Au début on pense qu'on fera du sport. On en a fait, au début. Et puis après... si c'était à refaire!!!» et il a hoché la tête avec, en lui, l'amertume de l'irrémédiable: «Tiens! je préférerais encore la "biffe".» Moi je l'ai regardé et j'ai pensé que si c'était à refaire, «on» trouverait toujours un moyen pour qu'il le refasse, et qu'il se ferait de nouveau avoir.

C'est pour ça qu'on n'a pas le droit de se taire quand on a découvert les «ficelles»; c'est pour ça que, même si on est seul à le dire, quoi qu'il nous en coûte, il faut faire éclater la vérité de toute la force de ses moyens et de sa volonté.

Nous, les gens de spectacle, on a le don de pouvoir exprimer ces choses, et, si on le veut vraiment, en luttant, la possibilité de se faire entendre nõn pas de deux ou trois personnes, mais de milliers de gens. La chanson, c'est un moyen direct d'aller droit au cœur des gens, de leur filer un peu de la lumière qu'on imagine, de leur dire tout ça simplement, d'avoir prise directe. Parce que la musique met tous les cœurs au même diapason, leur ouvre l'émotion et les rend disponibles, les sensibilise. Après, quand on est dans le climat, il n'y a plus qu'à parler et les mots viennent tout seuls. Mais pour ça, il faut parler le même langage, il faut aller chercher les gens et leur raconter tout ça progressivement, sans les rebuter, d'une façon claire et simple. C'est ça qui fait la grande force de Brassens, de Brel, et aussi de Ferré (quand il n'intellectualise pas trop...).

Chérie, quand une chanson vous plaira, je voudrais bien que vous me l'envoyiez pour l'apprendre. Vous ne pouvez savoir comme j'ai été content quand j'ai reçu *Ma môme* de Ferrat (je la chante maintenant aux copains). Par exemple je voudrais bien des chansons de Brassens *(Dans l'eau de la claire fontaine, La femme à cent sous, Le temps ne fait rien à l'affaire)*, des chansons de Brel et aussi de Ferré (pour les harmonies: *Le Bateau espagnol, Paname, Les Poètes*). Je vous enverrai de l'argent pour les acheter. Essayez de trouver si possible les partitions avec accompagnement guitare.

Je vous demande pardon de vous réclamer tant de choses, mais j'ai si peur de perdre du temps. J'ai reçu les insecticides ce matin (les poux, punaises n'ont qu'à bien se tenir... ah mais!).

Oh! je t'aime
vite, une lettre aujourd'hui!

MON avenir?... Vous ne savez peut-être pas mon attirance pour la musique?!! Mais ce n'est pas seulement de la musique pour la musique, c'est de la musique pour dire ce qui me pèse du mensonge et des injustices humaines, pour chanter l'amour, la tendresse et la misère des hommes, pour dire ce que je vois et contre quoi je m'insurge. Je me servirai de tout ce qui est en mon pouvoir pour lutter, et comme pour se faire entendre il faut en posséder les moyens, je les gagnerai.

Ce n'est pas parce que j'ai découvert cinq ou six accords nouveaux (qui existent déjà) que j'ai le sentiment d'avoir réinventé la musique. Je ne me mystifie pas. Ce que je fais est laborieux pour l'instant et il faudra beaucoup de patience, de ténacité, de travail pour arriver à la connaissance de mon instrument.

Si vous croyez que je me «contente» de mes résultats actuels, vous êtes bien dans l'erreur. J'ai le sentiment, au contraire, d'avoir pris un énorme retard. Quand je songe qu'il y a des types de vingt et un ans qui donnent déjà des concerts, que Charlie Christian fut un novateur dans le domaine de la guitare de jazz à *vingt ans*, il faut pas mal de volonté pour s'accrocher et se dire qu'il n'est peut-être pas trop tard.

Je me mets chaque jour à ma guitare et parfois sans grand enthousiasme. Les progrès sont pour l'instant imperceptibles. Ça me semble difficile et «j'accroche» à tout instant. Seule mon application à me reprendre sur les erreurs m'encourage à persévérer.

Mais comprenez JE VEUX être ce qu'un DJANGO est parvenu à faire d'une guitare. Songez qu'il me faudra plusieurs années avant d'être un musicien accompli. Pour l'instant, je n'en suis que l'ébauche et si la musique est profondément dans mon cœur et mes oreilles, elle ne se dessine encore que très timidement dans mes yeux et mes doigts ; car il me faudra *lire* la musique comme on parcourt un livre et la lire avec mes mains sur l'instrument.

Minou, vous savez à quel point je vous aime et que cela n'est pas uniquement sensuel, comme vous semblez le supposer parfois, vous savez quel pas nous avons franchi sur cette étape. Si je me comportais comme un animal, livré à ses instincts, je n'aurais aucune raison de lutter contre quoi que ce soit, j'irais au bordel comme certains, ici, ou je ferais l'amour avec tout ce qui se présente de «viande appétissante».

Lorsque je vois un être beau (et, ici, la beauté n'est pas un critère érotique), je ne me dis pas : «Tiens, je vais faire l'amour avec lui !» Je le regarde, l'admire, comme je le ferais d'un coucher de soleil, d'une couleur, d'un instrument de musique.

La beauté ne se résume pas à un «cul» et une paire de «seins». Quand je dis beauté, c'est de l'intérieur que je parle. Est-ce le fait de mon abstinence physique, je commence plus à regarder les âmes que les chairs. Un visage ne m'intéresse qu'en fonction de la valeur de son regard.

Je ne veux pas, pendant ces cinq mois, laisser une seule fois la parole à mon corps, je crois vous l'avoir déjà dit.

Mon amour, aujourd'hui, je vous demande d'*accepter totalement* ou de tout refuser, je n'admettrai plus que vos pensées hésitent.

Pour réussir ce que je veux j'ai besoin de l'AMOUR et de la confiance des êtres en qui je l'ai placée, car ce n'est pas uniquement pour soi qu'on doit construire, mais aussi pour les êtres qui partagent vos joies, vos peines, vos espoirs, comme on partage les leurs. C'est le besoin d'être estimé en même temps qu'aimé de vous qui m'a fait évoluer dans mes désirs et ma volonté. J'ai bien dit *estimé* et non *plaire*, c'est la différence entre «faire» du charme et *avoir du charme* (relativement bien sûr).

Ma petite femme chérie, est-ce que je vous ai assez dit ce que je désire ? Je sais que la rentrée sera difficile et qu'on ne vit pas de l'air du temps.

Songez à ce que sera notre vie d'amour et de musique si nous la faisons belle. Il n'y a pas d'obstacles à ce que nous réussissions un *nous deux solide*, il faut le *vouloir*.

Sentez combien je le désire et comme je suis conscient des difficultés que cela nous réserve. Je ne veux pas vous tromper.

Je t'aime.

Votre Jacques.

Algérie, lundi 4 juin 1962.

MA Minou,

Deux jours sans lettres! Est-ce un retard de courrier??...

Ou bien avez-vous reçu mes lettres en « colère » et elles vous ont blessée, fait de la peine? ce silence, c'est peut-être pour me punir des choses injustes que j'ai pu vous adresser.

Oh! ce soir je suis rempli de vous, de nos souvenirs. Tous ces instants que nous avons vécus ensemble me reviennent et m'emplissent le cœur de mélancolie et de tendresse.

Je nous revois... quand j'étais blotti contre vous et que vous lisiez, comme j'aime ces moments-là. Votre voix me résonne par tout le corps et sa musique me bouleverse. Et ces moments où ce qui m'étouffait, ce que je vous cachais, ces confessions si difficiles, sortaient à haute voix tant je vous sentais tolérante et capable de comprendre tout, capable aussi de mettre un terme à mes faiblesses, si je vous les confiais.

Je me souviens... un soir à Strasbourg. Vous m'attendiez, j'avais deux heures de retard. Vous étiez inquiète, pensant que peut-être je n'avais pu me libérer de cette caserne. C'était l'hôtel des

«Acacias». Sur la table vous aviez préparé un dîner pour nous deux; il y avait aussi une bouteille de kummel. Jamais je n'oublierai la tendresse, l'amour si fervent qui vous mettait le feu aux joues et les yeux en fièvre. Vous étiez vêtue de noir, allongée, et le regard que j'ai reçu ce soir-là, tout l'amour qui débordait de cette chambre d'hôtel dont vous aviez fait un nid d'amants, cette tendre inquiétude qui s'effaçait, qui se fondait dans un grand élan de passion, dans un soleil énorme et couleur de sang. Tout cela me brûle le cœur, ce soir, avec la même force qu'à cet instant passé. Il y a des souvenirs que l'on revit comme au présent.

Tout ce qui me mêle à votre vie ne semble faire qu'un seul moment qui serait une éternité. Je n'arrive pas à mettre le mot «passé» sur nos deux années d'amour. Tout ce qui me rappelle à lui est si vivant, si chaud, a laissé une empreinte si forte dans la mémoire de mon cœur, de mon corps, qu'il me suffit de rester immobile, les yeux ouverts, pour entendre, voir et sentir dans tout mon être la douceur grave et chaude de votre voix, la lumière ardente de vos yeux, votre parfum, la langueur animale de votre corps, ces caresses qui me griffent les nerfs et mettent à vif ma chair et ma sensualité.

Comme je m'en veux de remuer toutes ces pensées, de renouer avec nos gestes, nos mots; avec ce moment inouï de pureté, de respect et d'immense tendresse où nous nous fondons l'un dans l'autre et croyons nous anéantir, où la joie fervente du cœur et de l'esprit se mélange à la plénitude étrange et insondable des corps, lorsqu'on se regarde tous les deux, écrasés par la violence de notre amour, que nos sourires éblouis de reconnaissance se croisent, s'enlacent, s'enfoncent comme deux épées jusqu'au milieu de nos cœurs pour y ouvrir deux larges plaies. Quand de ces plaies jaillit un sang vermeil et jeune qui s'épanche de mes veines à vos veines, nous consume de la même brûlure, fait battre nos cœurs du même rythme affolé, intense. Ma flamme, ma petite âme chérie, pardon d'avoir donné tant de liberté à ma tête mais, ce soir, j'ai la fièvre et la nuit sera lourde de tous mes rêves de vous. Ce soir, je veux vous donner toute la place, sans retenue, même si le réveil doit être un peu plus amer et me faire mal.

Ma gosse, mon tendre chat, je me suis remis à lire et je voudrais bien « Jean-Christophe » (le premier tome pour commencer), mais *le vôtre*. Ce sera un livre que vous avez touché, que vous aurez dévisagé ; et quand je le lirai ce sera comme si je vous regardais, comme un de ces instants magiques où, blotti contre vous, je vous écoute me le lire.

Oh, Minou ! *Vous me manquez tant.* Que tout finisse, qu'on s'aime librement. Je hais ceux qui nous séparent.

Ce soir, je m'endors en vous tenant enlacée au creux de mes bras... le souffle tiède de votre frimousse qui effleure mes lèvres... et je suis si heureux.

Oh ! mon amour, venez vite, que toute cette absurdité s'efface.

Tébessa, mercredi 6 juin 1962.

LE ciel est voilé de nuages et j'aime ça. Je préfère le gris. Comme je préfère, en harmonie, le mode mineur au mode majeur.

Hier, sans m'en rendre compte, j'ai fait une sélection parmi les chansons et celles que j'ai choisies sont presque toutes en «mineur». Il y en a une, très belle, créée par Yves Montand: *Autant qu'il m'en souvienne;* et puis surtout: *Ne me quitte pas.* Je me suis jeté sur toutes ces partitions comme un affamé. C'est formidable, maintenant, comme j'aime chanter. Surtout que ces chansons que vous m'avez envoyées ne pouvaient être mieux choisies.

Aujourd'hui, à mon grand regret, je n'ai pu encore toucher ma guitare: gros boulot sur la «jeep». Elle va au garage, alors il faut la briquer de fond en comble, moteur au détail. En plus, ce matin, crevaison...! L'higelin, un vrai mécano! Vous ririez de bon cœur à voir la frimousse, les mains noires de graisse, trifouiller dans les boulons, dans les tuyaux, dévisser, revisser, parfois à tort et à travers. Heureusement qu'il y a les potes pour me guider un peu, sans ça j'en aurais bientôt fait un dépôt de ferraille, de ma «jeep»! Vous verrez, si vous achetez une voiture, vous serez obligée de me garder avec vous.

J'ai appris que mes douleurs à l'estomac venaient d'un léger empoisonnement. «Ils» nous ont refilé des conserves qui avaient au moins deux ans d'existence!!! Suite de quoi il y a eu cinq cas d'empoisonnements graves. On m'a passé des cachets, c'est pratiquement fini.

Pour le texte, ça marche! J'avais peur des faiblesses de mémoire, à cause du manque d'entraînement; mais, grâce au travail quotidien, ça se rode et j'avance plus rapidement.

Ça fait quand même une drôle de joie quand on voit les résultats d'un boulot, ça encourage à persévérer, à s'organiser pour progresser. Les notes des partitions me servent de solfège: je déchiffre à la guitare, ça me permet de situer les positions pour les gammes et les accords.

Tous les matins, les gosses me guettent pour venir me serrer la main et parler un peu. Je vais m'arranger pour leur refiler quelques boîtes de cirage (une boîte leur coûte soixante-dix francs, au moins). Je commence à les connaître mieux, ils me deviennent familiers.

Vous savez, pour l'histoire de me renvoyer à l'échelon, ça a l'air de se tasser (je crois qu'«il» ne peut pas me remplacer parce que les effectifs ne sont pas assez nombreux, alors «il» s'y fait!). C'est pas plus mal, ça me laisse tout le temps pour bosser la musique. Pour une fois que j'ai une piaule où je peux rester seul, avec beaucoup de temps libre, autant en profiter au maximum. Et puis ici, au moins, pas de «clique du 42e», de «marches militaires» qui vous écrasent les oreilles. Un silence relatif, propice à la concentration et comme je parle peu aux gars, ils respectent mon isolement et me laissent en paix.

Nous logeons dans une petite baraque, sans barbelés, sans murs alentour, où on n'a jamais le sentiment d'être en caserne, où l'on circule sans aucune surveillance de rempilés. Toutes les questions de corvées communes sont réglées entre nous. En dehors des heures de «travail», on n'a plus l'impression de dépendre de l'armée.

Aujourd'hui, pas de lettre... Mais je suis trop exigeant! Cependant, quand je ne reçois rien de vous, je m'inquiète de votre silence et crains toujours vos tristesses ou vos désespoirs.

Je suis si heureux de penser que je pourrai vous chanter plein de chansons.

Je t'AIME

HIER soir, deux lettres sont venues calmer mon inquiétude et me redonner le rire.

Mais aujourd'hui, je ne sais pourquoi, je me traîne avec une espèce de cafard rageur.

Hier, j'ai pris ma guitare pour chanter les chansons que j'avais apprises. Il y avait là des gars qui m'écoutaient, puis deux types sont entrés dans la piaule et, histoire de faire rire la « société », se sont mis à déconner sur mon compte. Ça pouvait être marrant à cause de la « gouaille parisienne » qui donnait le ton ! Mais je n'avais pas envie de rire, j'avais envie de chanter. Je n'ai rien dit, mais ces petits cons et le rire imbécile des autres petits cons m'ont foutu en colère. Surtout le fait que des gars soient incapables de se taire et d'écouter la musique ou les paroles de Brel, de Brassens, de Ferré. En comparaison, je me souviens, dimanche, d'avoir interprété *Ma môme*, chez mes potes de l'échelon (qui ont une gouaille bien plus sympathique et bien moins « intello » qu'ici). Tu ne peux pas savoir comme ça leur faisait plaisir d'entendre ça. Ils écoutaient en silence et quand j'ai eu fini, y'en a un qui a dit : « Merde, elle est chouette ta chanson, j'pense à ma gosse, à Panam, ça m'fout le "noir", mais c'est bath quand même » — eh bien, quand t'entends un p'tit bidasse dire ça, ça te donne envie d'en apprendre des tas de chansons.

Maintenant y chantent tous *Ma môme* là-haut, à l'«échelon», et ils me demandent les paroles. Ça me rend heureux comme si c'était une chanson de moi, j'ai un gros faible pour elle.

Aujourd'hui, ma peine, ça vient d'un tas de choses en vrac. La mauvaise musique qui sort d'un poste ouvert à fond, les conneries qu'on entend à longueur de journée. Y a des fois j'ai envie de tout casser! On voudrait pouvoir calmer sa colère en allant faire un grand tour dans la campagne, ou en ville et... obligé de rester là, à supporter les grimaces sans broncher. Parce que gueuler ça sert à rien qu'à couper la dernière petite passerelle entre leur solitude et la tienne.

Hier, j'étais couvert de toute la graisse retirée à mon «bahut»; mais lui, le bahut, il est propre comme les coupoles du Sacré-Cœur. J'étais bien fier. Y a pas de quoi d'ailleurs, car s'il est comme un sou neuf (d'aspect), l'intérieur, lui, est tout pourri. (Tout ce qui brille...!!!)

Il y a des moments où, le soir, les yeux perdus dans le lointain, je reste longtemps immobile, à écouter les bruits de la ville, les aboiements des chiens, les cris des gosses et je m'imagine marchant à côté de vous dans cette nuit d'été, sans contrainte, allant droit devant nous sans chercher à éviter personne, votre petite main au creux de la mienne, si lourde et si chaude d'amour. Oh! c'est con! mais je t'aime.

La Frimousse.

Mercredi 13 juin 1962.

MINOU, mon âme chérie,

Je suis à la garde. J'ai réintégré mon ancienne piaule et vraiment, rien à regretter. Les potes m'ont accueilli à bras ouverts. J' te jure que ça fait du bien, avec eux, au moins, la chaleur humaine. Ils existent ces p'tits gars-là, ils sont pas indifférents. Merde, j'étais drôlement content de r'monter. Et puis ici, c'est en dehors de la ville, en hauteur, l'air est fort et pur, on respire.

C'était drôlement beau cette garde, dans la nuit et puis le coucher de soleil avant, sur la plaine, énorme. Une explosion de lumière. J'étais vraiment « remué » de tout ça, de le partager avec vous.

Comme vous êtes proche maintenant, j'ai l'impression de vous toucher, de vous entendre. J'arrive même, tellement vous êtes présente, à évoquer votre odeur, votre regard. Ça me rend triste et très heureux. Mais vous devez éprouver ça vous aussi. Oh! mon âme, je ne pensais pas qu'un jour puisse paraître si long quand on attend sa fin.

J'ai vu une femme, drapée dans une robe d'un rouge très violent, à côté d'une autre vêtue de blanc immaculé, et ceci des pieds à la tête. C'était formidable, dans la lumière chaude du matin, comme deux fleurs violentes qui se laissent mouvoir par le souffle de l'air d'été. Que cette Algérie est donc belle! Tout éclate dans l'œil, les chants, les couleurs, les rythmes, les odeurs. Partout une musique étonnante de la nature. Hier soir c'était Miles Davis, une vaste étendue noyée de lumière blanche, qui faisait se fondre le ciel et l'horizon des terres dans un même manteau éblouissant. Il y avait aussi les tentes des nomades qui se profilaient à contre-jour, et des silhouettes d'hommes, aux vêtements flottants comme des drapeaux, chevauchant de superbes petits mulets arabes, nerveux et puissants, dans un nuage de poussière.

L'été se fait si doux, si attirant. On voit des couples qui s'aiment, qui s'enlacent dans toute la lumière de leur amour. Mais il faut que je me taise. Je ne suis pas le seul à vous réclamer, il y a des tas de petits copains qui pensent à leur femme. Ça se voit à leur regard qui se fixe parfois dans le vide ou au plafond de leur piaule, ça se voit dans leur immobilité rêveuse, lorsque quelqu'un les appelle et qu'ils ont un sursaut de tout le corps, qu'ils se lèvent avec lenteur ou un soupir mélancolique, quittant leurs rêves à regret et se replongeant lourdement dans l'absurdité des occupations militaires, comme ces paras qui atteignent le sol dans un choc final. À quoi ça sert de répéter cette mélancolie de vous...

Peut-être notre régiment sera rapatrié!!! des bruits qui courent... mais chut!

Je t'aime.

Samedi, dimanche, lundi, mardi, mercredi, jeudi...
Pas de lettres. Ça recommence! Le courrier se
balade dans les mains de facteurs qui s'en foutent. Pourtant j'aurais bien besoin d'une
«bafouille» à Pipouche, mais je sais que cela
n'est pas de votre faute et j'aurai peut-être la
surprise d'une grosse pile de lettres.

Y a pas à dire, je suis heureux d'avoir rejoint
mes potes, quelle différence!!! Ils sont vraiment
«bath», les p'tits gars de Belleville, et puis on
rigole! La bonne bande de truands quoi!!! Les
gradés nous regardent d'un sale œil, on s'en-
gueule avec eux. Ils ont dit qu'on était des
meneurs, et moi, que j'étais bon à rien!!! Parce
que je joue du jazz et de ce fait, je dois être un peu
cinglé. C'est possible après tout. En tout cas, j'ai
bien rigolé et j'ai pas fini! Y a un chef qui me
cherche des salades à tout bout de champ. Il est
furax parce que je l'envoie chier du haut de mon
mètre quatre-vingt-quatre!!! Décidément, j'ai pas
le «type sérieux», j'aurai pas mon certificat de
bon soldat, on voudra de moi nulle part et je serai
obligé de rempiler. Ça fait rien, je vous emmène-
rai comme «aide de camp».

J'ai rencontré un batteur de jazz moderne et un
piano au foyer de la caserne. Je «pianote» un peu

chaque soir, ça fait plaisir aux copains et aux autres.

Ma petite âme chérie, je suis un peu ému de vous envoyer ma chanson, qu'est-ce que vous allez en penser!!!

Il y a certains matins où je me réveille l'esprit encore plein de rêves de vous que le jour, tranchant comme un couperet d'échafaud, vient remplir de pensées dures et cafardeuses. Vous aussi, ma petite âme, cela doit vous arriver; sans ça, c'est qu'on ne serait pas amoureux!

Je suis sage, j'attends ma femme.

Aie confiance...

Vendredi 29 juin 1962.

Eh bé! Tu sais, votre frimousse... infection des
glandes, d'où pénicilline, etc. Décidément, Souk-
Ahras c'est un mauvais coin pour les «cures»,
encore quelques jours et hop! l'ichelin à la
réforme (si ça pouvait être vrai!!!). Quoique... si
c'est pour vous revenir tout malade, tout miteux
minable, je préfère rester ici (on a sa petite
fierté...!).

Enfin, notre ventre s'est calmé. Les «punaises»
aussi. Vos «insecticides» furent maîtres du matelas, après une longue, une interminable lutte de
deux jours et deux nuits. J'ai encore eu droit à
deux ou trois timides attaques, mais le gros de
l'ennemi s'en est allé mordre le ciment!!! Mes
copains ont moins de chance. Ils passent des
nuits complètes à chercher querelle à ces bes-
tioles fascistes, la lampe de poche à la main, clef
à molette dans l'autre. Ça donne des résultats
plus ou moins surprenants: effets de lumière
dramatiques, visages hagards et affolés devant
le nombre, soupirs d'impuissance et de rage.
Seules les punaises semblent garder un sang-
froid dans la lutte digne des meilleures légions
romaines.

En attendant, ça m'embête drôlement, ma
patte plâtrée. Peux pas sortir de la piaule et

après-demain, tous consignés au quartier because « référendum ». Ça c'est con! J'aurais bien voulu être dans la rue à ce moment-là. Ça va être extraordinaire. Il y a déjà une telle ambiance de fête! Je vais quand même essayer en bahut, mais c'est moins intéressant. Ce qu'il faut, c'est déambuler dans les petites rues des quartiers musulmans, à pinces. C'est un peuple tellement étonnant, vivant, grouillant de cris, de chants. Dans les ruelles, les cafés diffusent de la musique arabe à pleins haut-parleurs. Ça fait un mélange de rythmes, de sons modulés, de cris qui débordent l'atmosphère.

Lorsque je suis allé à l'hôpital mercredi, il y avait deux petites gosses, très maigres, aux yeux noirs et brillants, avec des boucles d'oreilles immenses, retenues par une chaînette fixée dans leur coiffe. Le ciselé de ces boucles était très beau, très fouillé. Les gosses attendaient pour passer une radio. Elles paraissaient un peu effrayées et s'étaient assises sur leurs talons, blotties l'une contre l'autre, jetant des regards de petits animaux pris au piège. C'est curieux comme l'expression de leurs visages portait déjà les traits de l'expérience de la douleur, de la vie difficile. Quand tu croises un môme, tu es surpris de la gravité, de la perspicacité de son regard, et surtout de l'agilité *précise* de ses gestes. L'apprentissage de la vie se fait tôt ici. Dans la rue, j'ai entendu souvent des réflexions d'une grande sagesse intuitive dans la bouche des mômes et surtout d'une tolérance très grande. Ce qui est chouette, c'est leur gentillesse et leur confiance, du jour où ils t'adoptent. Mon pote l'instituteur, ce matin, ils lui ont filé un drapeau F.L.N., moitié vert, moitié blanc avec au milieu une étoile et un croissant rouge.

Ma mine, oh, il faudrait que vous soyez là, que vous voyiez tout cela avec moi, que j'aie votre petite main dans la mienne. Mes potes sont très chouettes. Leur tendresse, c'est vraiment quelque chose de chaleureux, de très présent. Mais elle ne suffit pas à faire vivre mon cœur. Vous êtes devenue ma femme et mon copain.

Oh! mon âme, comme c'est FORMIDABLE d'aimer! *Je suis à vous de toute ma joie.*

Votre Frimousse.

Souk-Ahras, dimanche 1ᵉʳ juillet 1962.

OH! ma femme chère, ma femme d'amour, pourquoi s'obstiner à faire semblant de rire quand on
a le cœur triste! Votre dernière lettre datée du
22!!! et puis rien depuis trois jours, alors que j'ai
tant besoin de vous. Quand je n'ai rien de vous,
ma journée est vide, je n'ai plus envie de rien, pas
même de prendre ma guitare. Je me traîne sur
mon lit. Oh! surtout ne croyez pas à de l'apathie
de ma part. Je me déteste dans cet état-là. Mais
peut-on avoir envie de quelque chose lorsque
l'essentiel est absent?

Tout me met dans une rage terrible = mon
immobilité forcée (à cause de ce plâtre), l'apathie
des autres, cette musique dégueulasse qui vient
des «transistors», qui recouvre l'atmosphère, et
pas un endroit où s'isoler. Et puis la chaleur
suffocante qui s'abat sur les piaules avec les
mouches, ce bain de sueur, de crasse et de merde
qui noie l'air. J'ai soif d'espace, de silence, de
liberté; une soif terrible qui m'assèche, qui
m'étouffe. Et puis ce lit étroit, ces piaules minus-
cules où l'on se cogne partout, comme un papillon
de nuit!

J'ai SOIF DE VOUS, soif de vos regards, de
vos lèvres, de vous prendre à bras-le-corps et de
vous étreindre, de vous dire les mots de tendresse

212

qui se bousculent dans ma gorge. Je croyais qu'on pouvait s'habituer à l'absence, qu'on pouvait se faire à l'idée de la séparation!!! Sans cesse mon être vous réclame; plus les jours me rapprochent de vous, plus il s'impatiente, sa voix se fait aiguë. Ne croyez pas que ce soit un cri charnel uniquement. Ma tendresse m'étouffe; j'ai besoin de vous tendre les bras, de votre chaleur, besoin de vous aimer avec mes mots, mes gestes, et je ne peux m'empêcher d'avoir vers vous des élans de tendresse irréfléchis, passionnels. Les effusions du cœur, l'ivresse de l'amour, c'est une musique sans frein, sauvage, abrupte. J'AIME la passion de l'AMOUR, son orgueil, son égoïsme jaloux. Peu importent les erreurs, les excès de cet amour; il a du sang neuf et bouillant dans les veines et s'il est trop exigeant, tant mieux.

Garde ton âme pure, ta joie, ta jeunesse fervente, ta spontanéité. Toute la bonté de votre cœur est venue fleurir le mien. J'ai un avril sous la peau et une musique de fête dans l'âme, et C'EST VOUS cette joie, cet amour bouleversant.

Va vers les êtres jeunes et enthousiastes. Tout en toi est né pour la jeunesse et la ferveur de l'amour.

Ma jolie et jeune femme, je vous garde un amour intact, que rien ne peut amoindrir. Chaque jour nouveau est un acte de foi et d'espoir. Rien ne m'importe plus que cet amour; c'est lui qui me fait comprendre, c'est lui qui m'exalte.

MERCI ma joie, la vie est belle parce qu'elle t'est adressée. Oh! je t'aime, je te veux, je te couvre de toute la force de mon amour et de toute sa tendresse.

Souk-Ahras, mardi 3 juillet 1962.

Mon cher amour, je vous demande pardon, mais on m'a interrompu hier soir et je reprends vite ma lettre aujourd'hui. On m'a interrompu à cause de la manifestation algérienne qui s'est produite dans toutes les rues de Souk-Ahras. D'où je vous écrivais, je ne pouvais rien entendre. C'est l'instituteur qui est venu me chercher. Et voyez quel être je fais, j'ai eu la méchanceté de vous sacrifier à la liesse populaire. Mais je ne regrette pas, car, si vous aviez été là, vous n'auriez pas hésité à vous précipiter pour être témoin de ce moment extraordinaire.

Un climat de folie, de liesse débordante, des voitures noyées sous un flot de gosses (jusqu'à vingt sur une traction), des milliers de drapeaux émergeant de partout à la fois, sur tous les véhicules (bicyclettes, scooters, camions...). Des gosses couraient dans tous les sens en faisant flotter leur drapeau à bout de bras. Ça éclatait de couleurs, du mouvement fou des étoffes, des cris, des youyous des femmes. Des visages ruisselants, certains, étouffés de bonheur, laissaient leurs larmes couler, les traits illuminés, transfigurés par cette joie énorme qui survoltait leur cœur, le cœur de ce peuple vibrant d'allégresse. C'était tellement beau, tellement bouleversant, que j'ai senti des larmes qui me crevaient les yeux. Vous ne pouvez imaginer ce que c'était. Et là, ces *cons* de bidasses, incapables de ressentir cette joie, qui la tournaient en dérision et s'acharnaient à dénigrer la ferveur de ce jour libre. J'étais dans une colère et une peine très grandes de leur connerie. De la peine, parce que j'aurais voulu qu'ils comprennent enfin ce qu'était l'élan de liberté et de justice qui avait poussé ce peuple à la lutte, jusqu'à la mort pour certains et la victoire pour tous, et que cet élan, aujourd'hui dans la joie et l'enthousiasme, avait quelque chose de si pur, de si beau, qu'on ne pouvait se refuser à partager cet immense cri de tout un peuple. C'était si moche ces visages railleurs, fermés, indifférents, qui regardaient en touristes de 14 Juillet, les yeux comme des objectifs d'appareil photo. J'étais ulcéré, j'ai pris mon pote « l'instit » par le bras et l'ai entraîné dehors. Tant pis si on se faisait piquer, je n'aurais pas supporté de rester enfermé alors que cette grande fête nous tendait les bras.

Sorti nu-tête, en treillis, avec mon plâtre et ma canne « fell » (une canne que j'ai trouvée, de couleur verte, dont les fellaga se servaient en opération !), on est descendu dans la ville. Les rues étaient noires de monde, les voitures comme folles, de partout, dans tous les sens, couvertes de drapeaux et de gosses scandant : « Ya, ya el'djezaïr » ou : « Ya, ya Ben Bella » ou : « Ya, ya UNITÉ »... Un jeune gars, debout sur le capot, tenait à deux mains un drapeau qu'il faisait tournoyer au-dessus de sa tête... Un camion, surchargé d'une grappe de cinquante à soixante jeunes gens, brandissant des « Croissant Vert étoilé », qui hurlaient leur joie à pleine gorge... des cortèges énormes de femmes voilées, toutes

noires, drapées d'immenses capes-burnous.
C'était une longue ovation qui montait de la ville
entière, un hymne à la joie et à la liberté. Tout,
sur leur visage, reflétait l'amour partagé, la
liberté bien vivante, qui éclate enfin au grand
jour, après des années de longues nuits silen-
cieuses. Je crois que nous étions les seuls Européens dans les rues. Les gens venaient à nous,
mélangeaient leurs sourires aux nôtres. Les
femmes, d'abord étonnées de notre présence au
milieu de la liesse algérienne, nous souriaient et
nous bénissaient. Est venu vers nous un adoles-
cent, les traits transfigurés, incapable de dire un
mot, bouleversé. Il nous a serré la main avec
passion. Il m'a tapé dans le dos : « Alors l'ancien.
Combien au "jus"? » Il tremblait de joie. Son
regard me disait : « Tu comprends, tu es venu
partager, c'est tellement bien ! » Je crois que
j'avais le cœur comme un soleil, prêt à éclater.
Jamais je n'ai senti aussi fort l'amour de tout un
peuple, la chaleur de l'amour des hommes, frères
dans la lutte. Il y avait un gars, le pied dans le
plâtre (rafale de mitraillette, nous a-t-il dit),
habillé à l'européenne, parlant le français d'une
manière parfaite, paraissant très cultivé, qui
nous regardait avec un grand sourire. Il est venu
à nous et nous a tendu la main. Il semblait être le
responsable du quartier où nous nous trouvions,
connaissait tout le monde et semblait faire auto-
rité. Il nous a parlé un peu, disant que cette
manifestation n'était qu'une prémice, la grande
serait pour plus tard, après le discours officiel de
De Gaulle. C'est la raison pour laquelle des res-
ponsables F.L.N. ont fait barrage et arrêté cette
première fête. Malgré cela, les cris, les chants, les
pétards, les klaxons des voitures ont continué,

toute la nuit, leur impressionnant concert jusqu'au petit jour.

Aujourd'hui sera une fête plus importante (ça promet quelque chose d'extraordinaire !). Hélas, il paraît que nous allons être éloignés de la ville et que la compagnie déménage à vingt kilomètres de Souk-Ahras. Cela me rend furieux ! J'aurais tant voulu participer à la grande manifestation de l'Indépendance. Ce sera un grand jour et je donnerais tout, sauf Pipouche, pour être témoin de ça !!!

Laverdure, jeudi 5 juillet.

Encore un déplacement et c'est toujours vous, ma pauvre âme, qui faites les frais du silence qui l'accompagne. Vous savez, Minou, un état-major qui déménage avec tous ses services, ça fait un bordel monstre d'ordres et de contrordres. Tout est si bien « prévu », si « organisé » qu'on passe au moins deux jours à nager dans l'affolement général et dans la merde la plus irrationnelle. Je sais bien que je devrais au moins vous mettre un mot, pour vous éviter l'inquiétude, mais je ne peux me résoudre à vous écrire à la hâte, j'ai besoin de m'isoler, de vous parler de ce qui me trouble, de ce qui me rend heureux ou triste. Il n'y a pas un jour où je n'aie besoin de venir à notre rendez-vous, de passer un moment *totalement* avec vous, sans que rien vienne rompre le charme de votre présence.

Le voyage, pour faire les vingt kilomètres qui séparent Souk-Ahras de « Laverdure », était très chouette. Il y a dans cette terre algérienne les mêmes reliefs, les mêmes accidents rudes du terrain qu'on trouve en Corse ; sauf peut-être ces larges montagnes aux crêtes violentes et rocheuses mais aux pentes étalées et douces, recouvertes de plaques d'arbres sauvages alternant avec des coins de terre jaune. Ces montagnes font parfois penser à des empereurs déchus, aux manteaux bouffés par les mites ; le mélange de grandeur sauvage et de misère âpre et rude. Mais aussi, souvent, des champs de blé resplendissants de lumière et, en se rapprochant de la côte, des étendues de vignes somptueuses.

Ici, tant dans la terre que chez les hommes, pas de milieu : grande richesse ou misère ignoble. Mais à en juger par ce que je vois, la richesse semble rare chez les hommes. La terre est belle et prometteuse, mais il faudra l'exploiter. Pour cela, l'Algérie a besoin de techniciens, d'ingénieurs et d'une main-d'œuvre énorme. Sur le plan agricole, il sera nécessaire, au début, de « réveiller » la terre (sèche et aride) par de vastes moyens qui soient le moins coûteux possible, de choisir des méthodes d'exploitation adaptées à la particularité de chaque terrain ; de plus, l'État actuel (question de fric et de temps) ne peut se permettre d'« expérimenter ». Il faut que les réformes se fassent d'une manière sûre. Hélas, beaucoup de petits paysans vivent et travaillent encore dans des conditions précaires et de façon primitive. Ils auront donc besoin de moniteurs qui leur enseignent les méthodes modernes d'exploitation. C'est là que l'effroyable silence du colonialisme met ses cartes à jour : aucun moyen véritablement efficace n'a été mis en œuvre pour favoriser l'amélioration matérielle et l'évolution culturelle du peuple algérien. Quand des hommes en sont réduits à lutter pour la « croûte » quotidienne, à vivre dans ces espèces de huttes qu'on appelle « mechtas » et qui pullulent aux alentours des villes, à dix (ou plus) dans une seule pièce, à même le sol (vieillards, femmes, enfants, bétail compris !!!) et dans les conditions d'« hygiène » et de « salubrité » que vous pouvez imaginer, on

comprend qu'il leur est difficile de penser à
« autre chose », de songer qu'il existe de vraies
maisons en pierre, de trois ou quatre pièces,
auxquelles ils auraient droit !

Sans parler du « traitement moral », de ce
mépris affiché, cette haine du « bougnoule » ou du
« raton » encouragée, entretenue par les éléments
les plus racistes de l'armée et des colons français.
Que ceux qui n'ont pas encore pigé les raisons
profondes de la révolte algérienne viennent donc
jeter un « p'tit coup d'œil » ici : il y a bien des
choses à voir et à entendre que, tout comme moi,
ils auraient du mal à « digérer ».

Qu'importe ! J'ai eu le grand bonheur d'être
témoin de la victoire d'un peuple qui sonne
comme une gifle à toute volée ! d'être témoin de
son rire, de sa joie bien vivante qui éclate par
toutes les villes, les « mechtas », les campagnes,
où le vert et le blanc des tenues, des fanions, des
banderoles, mêlés aux teintes éclatantes des
habits paysans, rouge, orange vif, jaune, bleu
ciel, font flamber les villages comme des pein-
tures impressionnistes. Tout bouge, crie et danse.
C'est comme la lumière qui tremble dans la chaleur vive de l'été. Il y a des drapeaux qui flottent
jusqu'au milieu des champs, des centaines
d'hommes, d'enfants, de femmes vêtues de robes
fleuries, qui dansent et tapent dans leurs mains
au son des flûtes et des tambours.

Hier, dans la nuit, ce rythme bouillant qui fait
trembler le sol et les étoiles, ce rythme qui m'a
tenu longtemps éveillé, avec une joie secrète dans
tous les membres et le sang. Vous qui aimez tant
la danse ! Que c'est con que vous ne soyez pas là !
C'est tellement beau, ces enfants, ces adolescents, qui balancent leur corps avec la grâce et la
souplesse d'une jeune plante, les yeux à demi

clos, l'extase joyeuse irradiant leur visage qui s'abandonne à la jouissance de vivre. J'avais une envie terrible de courir me mêler à eux, de rire, de crier et danser au milieu de leur allégresse!

Mon âme chérie, nous sommes arrivés tout en haut d'une petite montagne. Vision gigantesque sur la plaine et l'horizon des collines. L'air y est d'une pureté enivrante. Juste à l'instant, un cavalier en turban et large cape flottante, salué au passage par les youyous traditionnels des femmes, s'élance vers le sommet d'une colline avoisinante en brandissant un grand drapeau «fell». Parvenu en haut, il l'élève fièrement au-dessus de sa tête, puis, le tenant à bout de bras, lâche le mors à son pur-sang et dévale la pente au triple galop.

Oh! Mon âme, il est tellement chaleureux le cœur de ce pays et la terre en est si belle! J'y reviendrai avec toi.

J'ai dévoré le premier tome de *Jean-Christophe* qui m'a enthousiasmé, vous devez vous en douter. C'est très important pour moi de l'avoir lu; il y a beaucoup de force et de volonté à retirer de l'exemple d'un tel personnage. J'éprouvais une double émotion en parcourant ce livre: je croyais vous entendre me le lire et percevais vos sentiments à travers les pages. J'attaque *Germinal* de Zola, pour l'instant. J'ai hâte de recevoir ce livre que vous m'avez promis sur l'histoire algérienne. Profitez de mes désirs de lecture!

Une ombre: plusieurs jours que ma guitare dort dans son étui. Il y a, en ce moment, tant de choses formidables à voir que je consacre mon temps libre à observer, à ne pas perdre une miette de ce que j'ai la chance de pouvoir contempler. L'art est au service de la vérité. Quand on a le bonheur d'en être le témoin, il faut savoir se taire, écouter, essayer de comprendre, de garder en soi l'image de cette vérité pour, plus tard, se battre en son nom et la faire triompher.

Jamais je n'ai tant regardé la vie. C'est si important de ne pas passer à côté.

Mon cher amour, ma gosse, s'il y a des réalités décevantes, des écœurements ou des lâchetés, ce n'est rien puisque tu es là, et que je crois en vous de toute la force, de toute la volonté de mon âme. OH! JE T'*AIME SI FORT*!

Ce soir, enfin la Paix!!!

Oh! mon âme, comme j'ai besoin de calme. Comment se fait-il que ces types ne peuvent s'arrêter un peu de parler pour rien! On dirait qu'ils ont peur du silence. Comme s'ils craignaient de sentir le vide de leur existence intérieure.

Aujourd'hui, une grande joie: QUATRE lettres de vous!!! J'avais tellement soif de vous lire. Alors? madame part en vacances, seule, à la conquête des plages bretonnes. Je suis triste: on était tous les deux sur cette petite plage, sur la falaise, et vous irez seule... et c'est l'été!...

Si je vous disais que j'ai passé la journée avec vous, couché sur mon lit de camp, les yeux ouverts, avec une joie très sensuelle dans les membres, le corps anéanti de chaleur et de désir lourd. Je pensais à nous, en Corse. Il faisait nuit, mais une nuit très claire. La mer était plate, sans le moindre frisson, et blanche sous la clarté lunaire. Je retirais lentement, en vous effleurant des doigts, un peignoir qui recouvrait votre corps nu et votre chair frémissait sous sa caresse. Il y avait aussi un léger trouble sur l'étendue calme de la mer et peu à peu tout votre être se redressait, se gonflait de désir, un désir fort et tremblant, vos lèvres entrouvertes laissaient échapper un soupir long, retenu, qui finissait dans un grognement doux de chatte.

Ma bouche effleurait la chair de votre épaule brûlante et remontait, dans une caresse, jusqu'à la naissance de votre cou. Je vous mordais, je prenais votre sang. Et puis, nous glissions l'un contre l'autre, d'abord sur la douceur amoureuse du sable, puis, très lentement, vers la langue tendue des vagues. Et la mer, gourmande, avalait nos corps, les confondait dans une étreinte longue, retenue, qui nous anéantissait de bonheur et nous faisait nous mordre les lèvres d'un baiser, pour retenir le cri de la joie trop vive d'amour... Et puis, les yeux toujours ouverts, je me suis éveillé... j'avais mal, oh! tellement mal dans le cœur, dans le corps. Je sais que ce n'est pas bien de vous dire ça, de nous y faire penser, mais je ne peux me taire. J'avais besoin de vous confier mon désir de vous, sans ça il m'étouffait.

C'est beau le désir, quand il vient de l'amour. Je n'ai jamais de pensée laide quand je songe à votre corps. Il me vient une grande tendresse — les «troubles» d'avant, qui faisaient mon désarroi, ont disparu avec le temps. L'amour est rare, le vrai désir, unique, fort, est rare.

Plus je vous respecte et plus j'apprends à me respecter, à respecter mon corps, à respecter la pureté de notre amour. C'est tellement bon quand on a le cœur, l'âme et le corps purs. Il n'y a plus de coins d'ombre (ces coins de honte qui font le malaise et la gêne). L'être recherche la lumière, il en a soif, il tend les bras le cœur ouvert, et la vie lui vient, bonne et belle, chaleureuse, ardente. Au début, il ne sait comment la prendre tant elle l'intimide et tant sa joie est maladroite. Il l'étreint avec trop de force, la couvre de baisers, de caresses folles. Et puis elle lui apprend à l'aimer calmement, à ne pas la brusquer, à ne pas la casser sous trop de bonheur (comme un jouet dans les mains d'un enfant). Elle lui apprend à la protéger, à avoir des attentions pour elle.

Vous êtes la VIE, la LUMIÈRE. Et ici, à une si longue distance de vous, j'apprends à mieux vous aimer, à comprendre ce qui peut vous donner la joie. Je me tuerais si vous deviez être malheureuse à cause de moi. Je pense tout le temps à nos souvenirs, je relis vos lettres et vous regarde grandir en moi. Je compare tout, j'essaie de me rappeler ce qui vous a blessée et ce qui vous rendait heureuse. Alors, je me rends bien compte, à présent, que l'autre higelin, celui que vous attendez, vaut la peine de souffrir un peu. Qu'avec lui, tout ce qui a été moche, tout ce qui vous pèse encore parfois, s'effacera.

Mon bel Amour, JE T'AIME FORT,
RESTEZ--MOI

Laverdure, lundi 16 juillet 1962.

Aʜ ben! cette fois-ci, c'est définitif: votre igelin repart à Tébessa demain, par le train de onze heures, ordre de mission signé!

J'ai reçu, ce soir, mes deux *Jean-Christophe*. J'ai eu le malheur d'ouvrir une page et ça y est, impossible de s'arrêter! Jamais un livre ne m'a paru plus cher, plus familier, plus *fraternel*. C'est peut-être à cause de la musique, mais c'est surtout à cause de Jean-Christophe.

Il est trop beau ce bouquin! j'ai le cœur comme un soleil dès que je m'y plonge, il y a toute ma confiance, toute ma joie et mon enthousiasme qui remontent en surface, j'oublie où je suis, je me perds dans son rythme. Oui, c'est vraiment là un très beau cadeau que vous m'avez fait. D'abord, parce que je sais que vous avez ressenti les mêmes émotions. Aussi, quand je parcours ce livre, je sais qu'il y a quelqu'un, derrière moi, qui lit, sa tête posée sur mon épaule, pleine d'un amour tendre et généreux. Lire à deux, VIVRE à deux. Tout partager, doubler son plaisir. Ces livres vous ont donné une joie profonde et la première chose que vous avez souhaitée, c'est m'associer à votre joie! Je suis encore plus touché en constatant combien nos émotions sont semblables, comme nous réagissons avec ferveur à ce qui est vivant, pur. Vous ne pouvez savoir à quel point je vous suis reconnaissant de ce bonheur que vous m'apportez. Ça vous fait une place toujours plus grande dans tout mon être. J'avais tant besoin que la femme que j'aimerais ait un cœur immense, un amour sans mesure. On a besoin de respecter les êtres qu'on aime dans tout ce qu'ils font, pensent ou disent. Et je comprends mieux, maintenant, vos découragements, vos désespoirs devant un igelin qui n'était pas à la hauteur où votre amour voulait l'élever. Je vous jure que ma médiocrité était inconsciente et mon égoïsme aussi. Je souffre souvent d'images qui me reviennent et me font honte. Parfois même le rouge me monte aux joues, tellement ces souvenirs sont vivaces. Si j'avais compris, alors, je ne vous aurais pas fait tout ce mal. Ce matin, j'ai pensé à vos larmes, celles de Saint-Nazaire, celles de Paris, celles de ma permission A.F.N. Et cette gifle que je vous avais donnée, je la ressens, aujourd'hui, comme si elle m'était adressée, à travers vous. Oubliez ma grossièreté, mon inconscience. Je vous ai fait mal parce que je raisonnais comme un gosse gâté par la vie, par la chance et qui ne se soucie que de l'amour qu'on lui porte sans chercher à rendre cet amour.

Maintenant, je voudrais vous donner ma vie et je la trouve encore si peu riche, si peu digne de la vôtre. Oh! que de temps perdu! Si je ne m'étais pas laissé «gâcher» parfois, par les perversions de l'existence, j'aurais pu venir à vous avec quelque chose de ma vie qui soit pur, sans taches, et vous l'offrir en cadeau d'amour.

Comme vous avez été bonne de patienter, de pardonner, de me donner une chance de me rattraper. Il n'y a que vous qui pouviez le faire. J'étais si sensible à vous, à ce que vous m'avez dit. Même sans me l'avouer franchement, votre amour m'était indispensable. Et si vous m'aviez abandonné (il n'y a pas si longtemps) je crois que quelque chose en moi en serait mort ; le seul quelque chose qui ne demandait qu'à vivre, et qui, à cause de votre tendre confiance, s'est réveillé jusqu'à L'ESPOIR.

Maintenant, il fait nuit. Mes potes n'ont pas voulu me laisser la lumière. Alors, je profite d'un clair de lune éblouissant, pour éclairer mes mots.

Elle est belle cette nuit, cette nuit que je voudrais partager avec vous. Il y a toute une petite musique de bruits nocturnes, le chant des criquets, obstiné et monotone. Ça sent bon, la nuit ! une odeur tendre, amoureuse. Oh ! comme je saurais vous aimer, ce soir, comme je saurais embrasser vos lèvres. On se laisse envahir par le calme sensuel et doux. Il n'y a plus rien à dire, écouter seulement. Le vent s'est levé doucement dans le silence. Mon cœur est calme, mon corps est calme. Pourtant j'ai envie de vous. Mais de vous tout entière, sans réserve. Boire notre amour et le sentir couler en NOUS comme une nuit d'été.

Ma mie. Oh !... J'ai MAL

Tébessa, mercredi 18 juillet 1962.

D'ABORD, je vous demande pardon : je ne vous ai pas donné de nouvelles, hier. Il y a eu le voyage, les papiers à remplir là-bas et ici, mon installation, tout ça dans un désarroi calme !! le voyage, le train, l'oubli, durant quelques heures, la trêve. On a croisé des paysages, des visages, pour la première et la dernière fois. Je ne songeais qu'à me laisser imprégner de cette atmosphère des trains, où l'on n'est rien qu'un moment qui s'écoule dans un espace. Les hommes qui voyagent sont comme des petites comètes isolées, et puis, aussi, j'étais enfin seul. Plus obligé de répondre, d'entendre cette musique futile des conversations de caserne. Une heure avant de prendre mon train, je suis allé faire un tour dans la campagne — c'était bon. Il y avait du vent et du soleil — j'aime —, des paysans, des chevaux fins et racés, une odeur très forte de travail et de liberté. J'étais calme, j'étais bien dans ma peau. Je me suis assis au milieu des blés. Et puis, ça m'a envahi : l'été, la terre, les couleurs, l'harmonie, le chant d'amour de la nature[1] et puis VOUS êtes venue, au fur et à mesure que les images vous faisaient la place, et pour cette fois, j'ai

1. La paix profonde de l'âme.

pensé que notre avenir était très proche, tout m'est apparu sous un jour nouveau, tout ce que j'ai oublié de regarder, tout ce à quoi j'évitais de penser par crainte du cafard, ou du découragement, m'est revenu en bloc pendant cette heure de liberté. Franchement, j'avais le cœur en fête et quoi que cela m'en coûterait plus tard, à Tébessa, je me suis laissé aller à la joie et à l'espoir de mes pensées. J'étais avec vous, plus rien ne comptait et je sentais mon cœur gonflé d'amour et de rire.

Plus tard, dans le train, c'était toujours la fête. Il y avait plein d'Algériens bons vivants, chaleureux. On s'est mis à parler. Il y avait un vieux qui était accordéoniste. Il riait sans cesse, survolté comme un enfant, plein de gestes pour accompagner ses mots et un enthousiasme sans frein. Il a sorti à manger d'une valise énorme. On a cassé la croûte ensemble sur son insistance. C'était très chouette. Et puis les autres m'envoyaient des sourires heureux. Il y a un homme d'une trentaine d'années, qui est venu — membre du F.L.N. et résistant durant la guerre — nous avons parlé le restant du voyage (il se rendait aussi à Tébessa) du destin de l'Algérie future. Il répondait à toutes mes questions et s'efforçait d'éclaircir honnêtement chaque point (notamment à propos du différend Ben Bella/B. Khedda). Il s'exprimait dans un français impeccable, et m'expliquait le rôle qu'il avait été appelé à jouer en France durant son service (il était sergent). Car à cette époque, beaucoup de militaires algériens ont rendu de grands services au F.L.N. (renseignements sur les troupes, distributions de tracts, liaisons avec des agents algériens et français, etc.). C'est un type chaleureux. Je pense le revoir d'ici quelques jours.

Et puis Tébessa! Arrivée caserne, ordres, contrordres, saluts... à nouveau bavardages inutiles et bruit anti-musical — merde!!! Pourtant (et c'est peut-être le fait de ma balade dans les champs, de mon petit voyage) la rumeur, les petites occupations médiocres, tout ça m'est apparu comme dans un «brouillard» assez lointain. Je crois que depuis quelque temps, depuis que je vois mieux venir la fin de ce service, une espèce d'indifférence a mûri en moi, vis-à-vis de la vie militaire. C'est comme si ça ne me concernait plus. J'ai l'air de regarder, d'écouter, mais je ne suis pas là. Je pense à l'avenir, je pense à ce qu'il y a devant moi. J'ai soif d'apprendre. Petit à petit, l'instinct de liberté reprend ses droits. Je la sens venir, mon esprit se réveille, ma soif d'agir aussi. J'ai faim d'être libre, et le moindre prétexte, la moindre illusion de liberté, je m'emploie à calmer cette faim. J'ai beau me contraindre, je ne suis déjà plus là, dans cette caserne. Et tout ce que je fais en ce moment, tout ce dont j'ai envie soudain est en rapport direct avec ce futur que j'entrevois. Ce qui est beau, ce qui me rapproche, ce qui me rend ma vitalité, ma joie, c'est que ce futur est plein de vous. Tout ce que je lis, tout ce que je désire me rapproche chaque fois un peu plus de vous. Pour chaque homme, le visage de la liberté peut avoir des formes multiples. Pour moi, ces formes se fondent en une seule qui a vos yeux, vos oreilles, votre âme, votre cœur, votre pensée unie à la mienne. Et je vous assure, ma petite âme chérie, que je n'exagère rien. Si vous voyiez mes traits, mes gestes, quand je parle de vous, sans vous nommer, quand je rêve à vous!! Tout change, tout devient beau, pur, exaltant, et me rend la joie de VIVRE. Mon âme, vite le facteur s'en va!!!

JE T'AIME
VIVE LA VIE
ET LA LIBERTÉ

P.-S. Peut-être dans trois semaines on rentre en France!! C'est quasiment officiel!

On remballe tout dans les caisses.

Oh! Toi, je vous couvre de plein de baisers amoureux ainsi que l'autre femme (celle à Goupil!! ha! ha! ha! ha! jalouse!!?).

Tébessa, jeudi 19 juillet 1962.

Ça y est, c'est reparti mon «kiki»!! Corvées, gardes. La garde, j'aime: on est seul, on vous fout la paix! La nuit était vraiment belle... je me sentais bien respirer. Vous savez, Minou, on va déménager d'ici quinze jours, c'est plus ou moins officiel. Les préparatifs sont en cours. Dans tous les services on démonte, on range en caisses, destination France (plus précisément, d'après les rumeurs, Compiègne!). Seulement, les bruits de caserne, je me méfie, j'en ai déjà tant entendu.

Durant cette nuit de garde je n'ai pas cessé de penser à nous deux. Je me demandais ce que nous allions faire?... Si j'écoute le trouble qui m'envahit à la pensée d'être très bientôt près de vous, je doute que ce trouble s'efface et que je puisse me faire à l'idée d'éviter de vous voir alors que cela me sera facile et que rien ne pourrait nous en empêcher!

Minou, il faut m'aider, me dire ce que vous en pensez. Moi, ma joie est trop grande, je suis incapable de la maîtriser. Ce n'est pas par faiblesse: il y a des moments qui vous font battre le cœur trop vite et toute la sagesse du monde n'y peut rien. J'ai bien essayé de me dire que c'était encore trop tôt, qu'il fallait profiter de ces trois derniers mois pour éprouver la force de ma

volonté, pour ne pas se laisser aller à l'éblouisse-
ment de l'amour.

Mais... allez donc raisonner un cœur qui bat à
tout rompre, qui vous fait rire, qui vous empêche
de rien comprendre, qui fait des bonds de six
mètres dans votre poitrine, comme un fou, qui
laisse courir des images de bonheur à travers vos
pensées, sans leur laisser le temps de lui couper le
souffle. Lui, *il aime,* il a soif d'aimer, il parle de
Pipouche, le voilà déjà en France, il déborde
d'espoir, de joie, de tendresse, il me casse la tête
jusqu'à ce que je lui accorde raison. C'est peut-
être un sale gosse, mais je ne peux lui demander
de rester sagement en place et, franchement, je
suis bien heureux de son enthousiasme. Pourquoi
contraindre le naturel, pourquoi essayer d'étouffer ce qui doit éclater, même si ça paraît trop
tôt ?

Mais ce ne sont peut-être que des bruits qui
courent, ce départ (quoique toutes les troupes
déménagent et remontent vers le Nord).

Peut-être aussi serez-vous déjà partie pour l'Ita-
lie lorsque j'arriverai en France... (il se peut que
nous débarquions le 17 août, comme le 30 !!!). En
ce cas, je ne vous reverrai que plus tard. Quoi
qu'il en soit, mon âme chérie, *je ne veux, en
aucune façon, que vous changiez rien de ce que
vous aviez prévu.* Faites comme si je ne venais
pas (ce qui est probable aussi).

Je sais combien j'ai pu accaparer votre temps
de travail durant ma période en Allemagne et il
ne faut pas que cela recommence. Je ne veux
donc vous voir que si cela ne vous désoblige en
rien et si vous pensez que ça ne peut pas nuire à
nos résolutions, ni amoindrir notre volonté. S'il y
a trop de risques de céder à notre passion, alors il
ne faut pas nous voir car rien ne doit tuer ou

interrompre ce qui est en train de se créer entre nous. J'ai beaucoup appris de notre amour, à lutter contre moi-même, à me contraindre à vous aimer sans tricherie, *profondément,* et surtout à m'efforcer de vous comprendre, de mieux discerner la force d'amour qui est en vous.

Ma douce âme chérie, ne croyez surtout pas que j'évite de vous voir, ce serait monstrueux de penser cela. Mais je ne sais pas quelles seraient les réactions de mon cœur (ou plutôt je ne le sais que trop bien) et j'ai toujours crainte que ma volonté se laisse bercer par trop d'amour.

J'ai besoin d'être contraint, de m'imposer une discipline. Ma vie était trop facile et j'ai déjà été tant comblé par votre amour que sa tendresse me fait peur. Mon corps y est trop sensible, il a besoin d'une épreuve, de celle qu'il vit à présent, une épreuve d'homme, sans concessions.

Cependant, si je vous sais là, à quelques centaines de kilomètres de moi, je crois qu'il serait absurde de nous refuser la joie immense de nous voir. Si notre amour est fort, nous saurons rester « sages » et patients (comme nous l'avons su jusqu'à maintenant, depuis deux mois). Je crois en la force de *nous*, en notre volonté de nous aimer sans faiblesses, sans lâchetés. Oh! mon Minou, ma gosse, si vous saviez comme on est ému, là, dedans, tout au fond de soi...! mais il faut se taire.

Oh! que je t'aime
Que vous me rendez heureux

Votre Frimousse.

Samedi 21 juillet 1962.

HEUREUX l'igelin à Pipouche, très heureux : QUA-
TRE lettres ce matin (TROIS de vous et une
d'Odette).

C'est formidable comme j'avais un besoin *vital*
de vos lettres, vous ne pouvez savoir à quel
point!!! Vous avez les mots qu'il faut pour me
calmer, pour me rendre l'équilibre heureux. Ma
tête est plus fraîche et mon cœur a envie de rire.
Ça m'a rendu tellement heureux que j'ai acheté
une caisse de bière pour toute la piaule. Les
copains se demandaient quelle fête ou quel événe-
ment pouvait bien justifier ça. Moi, j'ai eu un
grand sourire aux lèvres et j'ai dit : «C'est pour
rien... comme ça!» Si je leur avais dit que c'était
en l'honneur de ma femme, y penseraient que je
suis «un peu dingue», ou que c'est le «palu»!

Ma gosse, qu'est-ce que vous a donné le don de
rendre heureux? Qu'est-ce que j'ai fait pour mériter un tel amour? J'ai vraiment une chance
inouïe. J'aurais pu ne pas vous connaître et rien
ne m'aurait sauvé de mon égoïsme et mon igno-
rance du véritable amour : celui qui donne (c'est
un peu prématuré de penser ça. Il me faudra le
vivre et j'ai encore si peu donné, même rien
donné du tout! Mais vous m'avez fait comprendre comment je pourrai y arriver). Elles sont

chaudes et belles vos lettres, ma Mine, vous ne pouvez imaginer comme elles sont bonnes pour moi, comme je les *attends* chaque jour et mon désespoir les jours de silence.

Ne vous inquiétez pas pour ma santé. Aujour-d'hui ça va déjà beaucoup mieux, je me soigne énergiquement, la fièvre a disparu et je mange à nouveau. Oh! c'est des moments de dépression, mais ça ne dure pas. La chaleur... on finit par s'y faire, on s'adapte. Y a rien qu'au début que l'organisme déconne (changement de climat... à cent cinquante kilomètres de différence c'est très sensible).

Minou, vous ne me verrez sans doute pas avant un mois en France!!! C'était trop beau. Officiel: on va à Bône le 10 août. Ensuite, peut-être, quinze ou vingt jours plus tard (sinon plus) on « embarquerait » vers la France...

Ma Mine, ma chérie, je vais arrêter cette lettre pour une raison très simple: il y a trop de bruit, je ne peux pas m'isoler, les types tournent autour de moi et veulent chahuter!!! J'ai besoin d'être seul avec vous, j'ai trop de choses à vous dire...

Alors tu sais, ma petite âme chérie, je revien-drai ce soir près de toi. Oh! mon ange, il reste cent deux jours... bientôt... c'est proche et pour-tant chaque jour me paraît un mois. Oh! vite qu'on s'aime, qu'on soit heureux, libres! J'em-brasse vos lèvres très tendrement.

DE garde, votre « l'Igelin ». C'était beau hier soir, le coucher du soleil. Le ciel tout en feu qui noyait la plaine et dessinait les montagnes au loin. Il y avait des grands rayons qui faisaient une auréole, transpercée par de longs filets de nuages incandescents. J'étais bien. Seulement, des types sont venus avec des appareils photo, ils « voulaient pas rater ça »!!! Alors, au lieu de regarder, ils discutaient sur la façon de bien prendre un coucher de soleil, sur la qualité du paysage, sur leurs appareils... C'est marrant, les gens, souvent, ne savent pas contempler. Ils passent leur temps à se fabriquer des souvenirs. Ils oublient de vivre leur présent. Ils n'ont pas vu le coucher du soleil, hier soir, ils le verront bien plus tard, quand ce sera le passé; et ce qui est bête, c'est qu'ils le verront à travers un appareil, un objectif et ce sera tellement incomplet et tellement fugitif comme sentiment!!!... Il y a beaucoup d'êtres (et ce n'est pas de leur faute) qui regardent la vie en touristes, de très loin et sans y participer. Il n'y a que la forme visible, extérieure, qui les accroche. L'essentiel, tout ce qu'on perçoit au deuxième, au troisième regard, leur échappe. Et c'est triste pour eux, car ils s'agitent inutilement et leur temps se perd ou se gâche...

C'est tellement bath de pouvoir saisir le vrai mouvement de la vie, quand on est jeune et en pleine vigueur physique et morale, quand on a en soi la sensualité amoureuse de ce qui existe et la chaleur ardente de l'âme. C'est tellement beau de sentir la vie couler dans ses veines à grands flots, tout son être respirer l'amour, cet amour qui est dans les hommes et dans la nature. On ne peut pas dire qu'on aime le soleil et pas la pluie, qu'on aime les Chinois et pas les Algériens! Tout est bon de ce qui est vivant, on n'a pas à choisir, il n'y a qu'à tendre les bras et étreindre cette vie qui s'offre à nous, le choix se fera de lui-même. Si on a le cœur sincère, la vérité nous aime et si on est pur, toute la pureté viendra à nous.

Je ne crois pas à la malchance et à vrai dire, c'est une excuse pour les faibles. Si on ne fait pas d'efforts pour mériter sa joie de vivre et d'aimer, on ne doit pas attendre de la vie qu'elle vous aide ou vous soit complaisante. Ce n'est pas non plus une putain qu'on achète à bas ou haut prix. Il faut lui donner tout de soi si on veut avoir tout d'elle, et sans conditions.

Après ma garde d'hier soir, comme toujours, je suis allé jouer avec un guitariste découvert dans la caserne. Il joue d'oreille (beaucoup de sensibilité) du flamenco et du classique. On a improvisé sur un thème de Bach qu'il connaissait. C'était beau, y avait plein d'étoiles, ça faisait longtemps que j'avais pas joué comme ça. C'était tellement bon de se laisser aller à cette musique que j'aime (c'était en mineur), j'ai posé ma joue sur le flanc de ma guitare, j'ai fermé les yeux et il m'est venu des larmes de joie et d'émotion. La musique ça peut vous entraîner si loin. Il y a des moments, on se laisserait mourir tellement on oublie ce qui se passe autour. C'est un gouffre la musique.

Plongé dedans on découvre un univers illimité qui vous dévore, qui sensibilise toutes les fibres de votre être. C'est tellement extraordinaire de pouvoir s'exprimer à travers elle. *C'est un don merveilleux que la vie m'a fait.* J'ai hâte de travailler ce don, une fois libre. Il y a des ressources de vie formidables dans l'âme sonore. J'en connais si peu et cela me donne tant de joie, qu'est-ce que ça sera lorsque j'approfondirai mes connaissances. Je sens, à portée du cœur, tout un monde qui m'attend, tout un univers à découvrir, comme l'explorateur spatial qui aborde une planète inconnue. Je me sens prêt, maintenant, à engager toutes mes forces au service de la musique. C'est une amante tellement généreuse, qui a si peu d'amants sincères et désintéressés, sauf dans le domaine du jazz, où se révèlent les plus purs de ses adorateurs, ceux qui l'aiment et la servent humblement, sans se donner en spectacle : M. Davis, Coltrane, Monk, Parker, Bud Powell, Mingus, Art Tatum et tant d'autres. Oh ! combien leur musique est belle, riche, humaine et comme elle me donne soif de m'instruire musicalement, de posséder ma technique, d'avoir le temps (de le gagner plutôt) et les conditions de travail nécessaires. Ici, je me dessèche, et les moments sont trop rares où je peux m'isoler avec « elle ». Si ces types comprenaient combien j'ai besoin de jouer !!!... mais encore trois mois à tirer, patience. Supporter la médiocrité n'est rien quand on possède l'espoir et la volonté d'aboutir. Je peux bien encore patienter, la liberté approche et je me prépare à bien la recevoir.

Ma petite âme adorable, j'ai peur parfois que vous ayez de l'impatience ou de l'irritation. Vous savez, ce n'est pas toujours drôle un type qui bosse, ça prend beaucoup de temps. On ne peut pas faire des études musicales en dilettante, ça demande de la constance, de la concentration. On peut recommencer vingt fois une phrase, quelques notes, et au début, ça peut vous sembler irritant. Il vous faudra bien de la patience. Il y a aussi les découragements passagers, on se désespère parfois de jamais réussir un jour. Oh! mais je ne serais pas encombrant. Et puis je souhaite au fond *surtout que vous travailliez avec moi.* Je sais que vous aimez très fort la musique et que cela ne sera jamais une barrière entre nous, au contraire. Vous savez, je rêve souvent d'une maison où il y aurait plein de notes, de copains musiciens qui viendraient jouer certains soirs. Une maison qui respire la musique, avec un grand piano et des tas de partitions et plusieurs guitares (pour jouer avec d'autres) de styles différents, avec une *petite guitare adorable pour vous.* Je rêve si souvent à ça! Je suis sûr qu'on pourra le réaliser, parce qu'on le veut. J'ai déjà deux ou trois copains de l'armée qui seraient tellement heureux de venir jouer. Pouvoir s'offrir un tel bonheur, oh! que ce soit vrai!

Vous savez, le monde de la musique, c'est tellement bon, on n'a pas besoin de parler, on accorde ses instruments, on joue et il y a quelque chose qui se fait soudain, que rien ne pourrait expliquer. Vous verrez, le soir, quand nous serons seuls. Vous vous allongerez et je jouerai pour vous uniquement, jusqu'à l'aube, la musique que j'aime, que nous aimons.

Et puis, tu sais, j'aimerais transporter un piano dans un parc, l'été, et jouer dans la nuit, ou alors avec quatre ou cinq guitares, comme en Corse. Ce qui est bath, c'est que tout ça est possible, réalisable, il suffit de le vouloir très fort.

Ma Mine, mes parents vont peut-être hériter de

la maison de campagne du père de maman, qui est mort, en Normandie. Ma mère me l'a proposée. Il y a un grand jardin, des bois tout autour, la campagne. J'y allais en vacances, quand j'étais petit.

Ma flamme, ne m'en veuillez pas trop si je fais des projets, ça me rend tellement heureux de penser à notre avenir, surtout que tout ça, c'est des choses possibles, alors pourquoi se priver d'y penser. Au contraire, c'est chouette de vouloir réaliser ce dont on a envie. C'est pas des goûts de riches, ni de bourgeois que de vouloir vivre dans une maison, à la campagne, au milieu d'un univers de musique. Ça n'empêche pas de travailler mais il faut pouvoir s'isoler. Paris tue, si on y reste trop longtemps. C'est une ville rapace et versatile qui peut, si on n'y prend garde, dissoudre la pensée et corrompre l'amour. Je ne veux pas que notre amour s'effrite dans le bruit et les nerfs. Notre amour est SAIN, il a besoin de grand air et d'espace. Je ne veux pas vivre comme un rat ou un pantin. Je me souviens trop de la façon dont Paris nous empêchait parfois de bien nous comprendre et je garde un très mauvais souvenir de nos rencontres là-bas.

Nous aimons trop la vie et le ciel tous les deux, pour nous laisser emprisonner par le cynisme, la névrose et la vaine agitation des villes.

Ici, le temps s'écoule sans heurts. Les gestes, les mouvements des Arabes, sont totalement détendus, leur démarche est libre et sereine. On sent leur cœur chaleureux, ouvert. Leur rythme quotidien d'existence s'harmonise avec celui du climat, des saisons. Leurs paroles et leurs actes sont inspirés par la sagesse et leurs passions naissent d'un germe d'amour et d'enthousiasme. Aussi, il faut entendre leur rire confiant, clair, naïf et spontané, je vous assure que c'est très beau. C'est un peuple si vivant, si généreux. Vous savez, lorsqu'ils se serrent la main, tout de suite après ils la portent à leur cœur. C'est une image très vraie de ce peuple.

Ah! demain ou après-demain, on déménage... Ça a été assez subit. On a quarante-huit heures pour foutre le camp (je crois que c'est un avis de l'A.L.N.; très probable, étant donné qu'on ne devait partir qu'au 10 août!), marrant non!!! c'est la grosse panique chez les rempilés. Y en a plus d'un qui se sent tout petit! ah! ah! ah!

J'ai reçu deux très belles lettres de vous ce matin du 18/7. Heureux moi!!!

Vous pouvez écrire maintenant à S.P. 88 921 (échelon). Nous déménageons à Souk-Ahras, mais le S.P. reste le même (il est affecté à la compagnie où qu'elle soit), alors continuez d'écrire à 88 921.

Alors, sales garces de p'tites veuves, on attend les beaux « terrassiers », avec leurs bulldozers et leurs gros bras!!! Bien! bien!

Moi, je veux bien du réveillon au Fourden, mais avec un « kougloff » et une grosse-tarte-alzazienne. D'ailleurs, on invitera mon grand-père et ma grand-mère! Et pis, tous les z-ichelins! et Pô-pôl avec sa femme! et toutes mes anciennes femmes...! (Zic) et Jules Borkon, et Albi-Coco... ah! ah! ah! et le capitaine des pompiers de Choisy.

Oh! Toi, JE T'AIME

ton Z'ichelin.

Algérie, jeudi 2 août 1962.

HIER matin, le jour de l'anniversaire de notre Amour, j'ai reçu votre dernière lettre.

Moi aussi, ça sera ma dernière lettre.

Depuis hier, il y a trop de pensées qui m'ont retourné la tête et le cœur. J'ai pensé d'abord ne plus vous écrire parce que je ne trouvais pas les mots. Ce n'est pas la peine de vous dire ce que je ressens, vous le savez bien. Ce n'est pas la peine de s'étaler, dans très longtemps ça s'effacera.

Je commence à comprendre que les joies ne sont pas éternelles, les peines non plus. On croit pouvoir manier la vie à sa guise, on croit pouvoir décider du bonheur qu'on veut, mais la vie ne s'achète pas. Elle nous donne notre part de joies pour notre part de peines, c'est le sort commun pour tous. On est trop exigeant de bonheur, plus on en reçoit, plus on en attend, mais le destin est plus juste que nous : il donne à chacun ce qu'il mérite, pas plus ni moins.

Pour la seconde fois, je rencontre la vraie douleur. La première, c'était la perte d'un ami, la seconde, c'est la perte de l'amour. Il y aura encore beaucoup d'autres peines, d'autres joies, petites ou fortes.

Vous me dites « pardonnez-moi ! ».

Je n'ai pas à vous pardonner, aimer ce n'est pas une faute.

Vous m'avez donné deux années de bonheur, deux années d'amour, personne, aucune femme, ne m'a jamais offert tant de bonheur et la richesse d'un tel amour.

J'ai été profondément heureux, cela vaut bien la peine que j'éprouve aujourd'hui. Ce n'est pas à sa durée qu'on peut juger la valeur et la force d'un amour; la *durée* n'est pas indéfinie, mais l'amour est éternel. Celui que vous avez fait mûrir en moi, je le porterai toute ma vie, et même si vous me quittez à présent, tout ce que vous laissez en moi continuera de vivre. La trace en est trop profonde pour qu'elle disparaisse un jour, même avec l'effacement des années. Il y a des pierres qui ont été gravées il y a des siècles, le dessin en est resté, à travers les cataclysmes et les bouleversements du monde. Le cœur des hommes est une pierre vivante gravée au fur et à mesure par les émotions et les sentiments. Les traits s'ajoutent aux traits, sans s'effacer les uns les autres, les cœurs, comme les visages, se couvrent de rides.

Il y a des cœurs qui sont sculptés par la haine, d'autres par l'amour. Cela se voit aussi sur le visage des hommes et dans l'âme de leur regard.

J'ai le bonheur que mon cœur soit sculpté par les joies et les peines de l'amour. Vous m'avez donné l'amour pour toute la vie, définitivement et sans conditions, et cet amour est unique.

Vous avez donné de l'amour à deux hommes, pourquoi vous en aurais-je de la rancune?? Vous n'avez trompé personne.

Quand on a un cœur assez large pour faire le bonheur de plusieurs êtres dans une seule vie, il faut considérer que c'est un merveilleux don de la vie et surtout ne jamais rien regretter. Je vous suis profondément reconnaissant de ne pas m'avoir menti, vous me prouvez par là votre respect et votre confiance, la force de notre amour.

Je ne veux plus que nous nous écrivions. Il faut que notre passion s'efface.

Je ne peux pas être votre ami, pas encore. Votre amour est encore trop brûlant dans moi, il faut attendre qu'il s'apaise. J'ai mal, et la moindre preuve de votre existence est trop douloureuse pour l'instant. Plus tard peut-être... quand vous aurez retrouvé votre place exacte, quand je ne serai plus dangereux pour vous, ni vous pour moi. Alors, à ce moment-là, je pourrai être votre ami. Pour moi, quand j'aurai compris, plus tard, ça me rendra plus fort. Peut-être... pour l'instant je ne sais pas. La chute d'un tel espoir est dure à accuser, je n'arrive pas à renoncer, mon cœur et mon corps refusent de l'admettre... les cons!!!

J'ai monté la garde. La nuit était si belle!!! l'été... pas pour nous, plus jamais... j'ai tellement gambergé.

C'était comme les gens disent, qu'au moment de mourir on revoit tout dans une suite d'images rapides et tout ce que j'ai revu était beau. Pas une ombre. Tout ce que vous m'avez laissé est tellement vivant, tellement présent, tellement vrai, ça fait tellement de bien et aujourd'hui, si mal...

Pourquoi la vie donne tant et puis brusquement vous laisse en plan avec des souvenirs pour vous arracher le cœur?

Quand je reviendrai... il y a tant d'endroits, tant de rues, d'hôtels, de mots à entendre, des gestes qui me rappelleront... il faudra regarder... écouter... avec le cœur qui se serre...

Il faudra ne pas vous appeler, ne pas vous chercher, ne pas se rappeler...
   et Pico... et Goupil... ce sera encore VOUS...
   oh! ma vie, ma Pipouche...
   c'est tellement moche,
   et je t'AIME

Algérie, 25 août 1962.

Mon doux, mon cher amour, pourquoi : «Si je n'étais pas si lâche, je me tuerais»?...

Chaque jour je résiste à mon désir de vous écrire mais aujourd'hui, quand j'ai reçu votre mot, je ne peux m'empêcher de vous parler, parce qu'il le faut.

Que vous me faites mal et de la peine quand je vous vois dire ça!!!... Je ne veux pas ma Pipouche désespérée. J'ai trop connu vos rires et vos larmes d'amour pour accepter votre désarroi et me taire.

Et tant pis! je vous dirai ce que je sens.

Je vous aime plus fort chaque jour et pas un moment je n'ai accepté l'idée de notre séparation. Je ne vous ai pas quittée, je ne le veux pas, tout mon être vous est fidèle et se refuse à vous oublier. Ne croyez pas que ce soit une faiblesse, la volonté n'y peut rien. On ne commande pas son cœur, on ne peut que l'étouffer!

Je sais que si je vous vois, je ne pourrai pas me comporter seulement comme un ami. Il y a trop de choses qui nous lient, qu'on peut difficilement effacer, à moins de perdre la mémoire...

Ma petite âme, ma Pipouche, je ne veux pas que vous soyez malheureuse. J'ai découvert une telle somme de bonheur en vous, je vous ai vue vous ouvrir à la joie de vivre. Comment accepter aujourd'hui que votre rire s'efface de vos lèvres, vous qui aimez tant rire, qui ouvrez vos bras et votre cœur comme un petit enfant ? Mon soleil, qu'est-ce qui se passe à l'intérieur de vous ?

Quand je voyais ces larmes, je cherchais de tout mon être le moyen de les arrêter. J'étais malheureux et parfois si maladroit. Aujourd'hui encore je me sens bien maladroit. Si j'étais là, je vous aurais prise dans mes bras, couverte de baisers, je vous aurais fait de la musique ou des blagues, je prendrais votre petite main dans la mienne et puis on irait respirer l'air à pleins poumons, courir dans les champs, danser, rire jusqu'à ce que vous soyez à nouveau celle qui me rend heureux, celle que je regarde VIVRE, AIMER, DONNER, et qui me bouleverse de joie.

Mon âme chérie, vous savez que je suis toujours à vous, que ma jeunesse, mon espoir et ma foi sont pour vous.

Croyez-vous que je vous retire ce que j'aurais voulu vous donner ? Alors c'est que vous me prenez pour un égoïste ou un indifférent, c'est que vous ne croyez plus à ces deux années d'amour !...

Je sais qu'il y a une partie de vous-même qui ne m'appartient plus mais il reste tout ce temps d'amour que nous avons partagé et je ne veux pas qu'il meure, qu'il disparaisse, étouffé au fond de nos souvenirs.

On n'a pas le droit de tuer ce que l'amour nous a révélé, c'est une lâcheté, un suicide de ce qu'il y a de meilleur en nous.

Minou, ma petite bonne femme-enfant, mon secret, chaque fois que vous aurez besoin de mon amour pour VIVRE il sera là, intact, aussi fort et aussi pur. Je serais trop malheureux si votre cœur souffrait du moindre regret, même caché.

Vous savez que je suis là, que je vous respecte comme jamais je n'ai respecté un être. Je voudrais ne jamais vous peser mais vous aider à être vous-même, à garder le rire, la foi, la générosité de l'amour.

Vous ne pouvez savoir quelle force et quelle douceur je puise dans notre union, comme vous m'aidez à vivre, ici, à supporter mes petites contraintes quotidiennes, mes découragements, mes désespoirs, et à les vaincre. La moindre victoire sur moi-même, c'est à vous que je la dois et vous ne pouvez imaginer la prière d'amour et de confiance que je vous adresse chaque jour, avant de m'endormir, les mille prières quotidiennes qui montent vers toi quand je contemple notre soleil, la terre brûlante, la tendresse d'un geste ou d'un visage, quand je reçois la lumière d'un sourire, de la misère, de la lutte fraternelle des hommes pour la beauté, la vérité, la justice, d'un bouquin que vous avez lu et que vous m'avez appris à aimer, d'une musique qui me rappelle notre amour et me fait rire ou pleurer. Ce que j'espère, c'est encore pour vous que je voudrais le réussir.

Comme je serai heureux si je possède la musique, parce qu'en l'entendant, vous seule saurez ce que cela représente pour nous. Notre amour ne doit pas s'éteindre, il commence à peine à vivre...

Oh! mon amour, s'il fallait que je m'efface complètement de votre vie pour que vous trouviez enfin la paix, je jure de ne jamais rien faire qui puisse me rappeler à votre souvenir.

Une dernière fois, je pose mes lèvres sur les tiennes, j'embrasse ce corps si cher, si amoureux, vos petites mains, votre cœur, vos yeux, votre âme.

Gardez-moi ce dont j'ai besoin de vous pour aimer la Vie. Mon soleil, ma Pipouche, je t'aime de toutes mes forces.

Composition réalisée par COMPOFAC - PARIS

IMPRIMÉ EN FRANCE PAR BRODARD ET TAUPIN
Usine de La Flèche (Sarthe).
LIBRAIRIE GÉNÉRALE FRANÇAISE - 6, rue Pierre-Sarrazin - 75006 Paris.
ISBN : 2 - 253 - 04670 - 1